3. Auflage 2024
verlegt durch Schneiderbuch
in der Verlagsgruppe HarperCollins Deutschland GmbH, Hamburg

Copyright der deutschsprachigen Ausgabe:
© Schneiderbuch in der Verlagsgruppe HarperCollins Deutschland GmbH, Hamburg
Alle Rechte für die deutschsprachige Ausgabe vorbehalten
Die englische Originalausgabe erschien 2022 unter dem Titel „MINECRAFT – Redstone Handbook"
bei Farshore. An Imprint of HarperCollins Publishers
1 London Bridge Street, London SE1 9GF

Illustrations by Ryan Marsh
Special thanks to Sherin Kwan, Alex Wiltshire and Milo Bengtsson

This book is an original creation by Farshore

Übersetzt aus dem Englischen: Josef Shanel und Matthias Wissnet
Umschlag und Satz: Achim Münster, Overath
in Anlehnung an das englische Original
ISBN 978-3-505-15056-2
Printed in Italy

ONLINE-SICHERHEIT FÜR JÜNGERE FANS

Online spielen macht Spaß! Um die Minecraft-Welt auch im Internet unbeschwert genießen zu können, sollten jüngere Fans ein paar Regeln beachten:

- Gib niemals deinen richtigen Namen an. Verwende ihn nicht als Benutzernamen.
- Mache niemals Angaben zu deiner Person.
- Erzähle niemandem, welche Schule du besuchst oder wie alt du bist.
- Vertraue niemandem dein Passwort an, außer deinen Eltern oder Erziehungsberechtigten.
- Für viele Websites musst du mindestens 13 Jahre alt sein, wenn du dort ein Benutzerkonto einrichten willst. Prüfe die Seitenbestimmungen und bitte deine Eltern oder Erziehungsberechtigten um Erlaubnis, bevor du dich registrierst.
- Wenn dich irgendetwas verunsichert, sprich mit deinen Eltern oder Erziehungsberechtigten darüber.

Wir nehmen Online-Sicherheit sehr ernst. Jede der in diesem Buch aufgeführten Website-Adressen war zur Drucklegung aktuell. Dennoch kann Farshore keine Verantwortung für den angebotenen Inhalt Dritter übernehmen. Bitte nehmen Sie zur Kenntnis, dass sich im Internet angebotene Inhalte ändern und nicht für Kinder geeignete Inhalte auf Websites auftauchen können.
Wir empfehlen, Kinder zu beaufsichtigen, wenn diese das Internet benutzen.

Alle Informationen und Werte basieren auf Minecraft: Bedrock Edition.

MINECRAFT

DAS REDSTONE-HANDBUCH

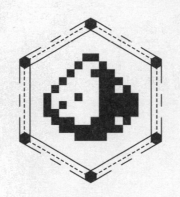

INHALT

1. DAS REDSTONE-EINMALEINS

2. IN DER PRAXIS

3. REDSTONE-WORKSHOP

WILLKOMMEN ZUM MINECRAFT REDSTONE-HANDBUCH!

In der Welt von Minecraft gibt es immer noch mehr zu entdecken. Selbst der tapferste Enderdrachenbezwinger, der kühnste Elytren-Bruchpilot oder der eifrigste Megastadtbaumeister hat sich vielleicht noch nicht mit den Tiefen von Redstone beschäftigt – und das Thema hat immensen Tiefgang!

Wer den Umgang mit Redstone beherrscht, kann nützliche Vorrichtungen für automatisiertes Farmen bauen, mit gewitzten Fallen seine Freunde auf den Arm nehmen und sogar Computer fertigen, die IM Spiel funktionieren!

Redstone belohnt Spieler mit fantastischen Möglichkeiten, je mehr sie sich damit beschäftigen, und der Fantasie sind keine Grenzen gesetzt – die NICHT-ODER-Gatter und Vergleicher können Einsteiger aber abschrecken. Doch du hast jetzt den ersten Schritt getan, indem du dieses Buch aufgeschlagen hast, das dir alles für deinen erfolgreichen Karrierestart als Redstone-Ingenieur beibringen wird!

Das Buch ist in drei Sektionen aufgeteilt. Im ersten Teil stellen wir dir alle Blöcke vor, die mit Redstone arbeiten, und erklären dir, was sie machen. Im zweiten Abschnitt lernst du, wie du die grundlegenden Redstone-Konstrukte baust, die man in vielen Vorrichtungen findet, vom Taktgeber bis zur vertikalen Schaltung. Im dritten Teil setzt du die Theorie in die Praxis um und baust aufregende Apparaturen, die deine Freunde staunend zurücklassen werden.

GEHEN WIR'S AN!

REDSTONE-
EINMALEINS

Du möchtest Redstone-Ingenieur werden? Eins nach
dem anderen: Zuerst musst du dich mit allen Werkzeugen
vertraut machen, die dir zur Verfügung stehen. In
diesem Teil stellen wir dir viele Redstone-Blöcke vor,
die Redstone-Signale erzeugen und manipulieren, um
verschiedene nützliche Ergebnisse zu erzielen.

WAS IST REDSTONE?

WO KANN ICH ES FINDEN?

Redstone findest du in den Ebenen -63 bis 15 entweder als Redstone-Erz oder Tiefenschiefer-Redstone-Erz, wenn du tief genug gräbst. Am häufigsten kommt es aber in den unteren 30 Ebenen vor. Du musst mindestens eine Eisenspitzhacke benutzen, um das Erz abzubauen und bis zu fünf Einheiten Redstone-Staub zu erhalten.

WAS KANNST DU MIT DEM STAUB MACHEN?

Alles! Streust du ihn auf einen Block, ist er lediglich ein dunkles Häufchen. Aber platzierst du eine Energiequelle wie zum Beispiel eine Redstone-Fackel daneben, wird der Staub heller, versprüht Partikel und leitet ein Signal.

Doch das ist natürlich noch nicht alles. Wenn du Redstone-Staub auf benachbarte Blöcke streust, verbindet er sich und ordnet sich so an, dass er das Signal in bis zu vier Richtungen weiterleiten kann. Hier ist eine Auswahl der Konfigurationen, die du anlegen kannst.

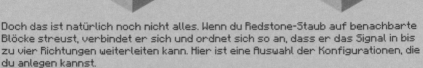

Redstone ist quasi der Hauptleiter in Schaltkreisen. In der puren Form als Staub kann man damit viele verschiedene Komponenten erschaffen oder Signale zwischen diesen senden. Möchtest du Prozesse in Minecraft automatisieren, ist Redstone der Schlüssel.

WAS KANN ICH MIT EINEM REDSTONE-SIGNAL MACHEN?

Ein aktives Häufchen Redstone-Staub leitet an die meisten benachbarten Blöcke ein Signal weiter, sowohl an normale Blöcke als auch Blöcke mit einer Redstone-Funktion (siehe Seiten 10–13). Wird ein Signal an einen Block mit einer Funktion weitergegeben, wird diese ausgeführt, solange das Signal besteht.

IST DIE ENERGIE-VERSORGUNG ENDLOS?

Nicht ganz. Das Signal an sich kann ewig währen, aber seine Stärke hängt von Quelle und Entfernung ab (mehr dazu später). Redstone-Fackeln geben eine Signalstärke von 15 an benachbarte Blöcke weiter, doch diese sinkt um jeweils 1 pro zurückgelegten Block. Redstone-Fackeln können Redstone-Staub also nur über eine Entfernung von maximal 15 Blöcken mit Energie versorgen.

WAS KANN ICH SONST NOCH DAMIT ANSTELLEN?

Redstone-Staub findet auch in Rezepten Anwendung, um Redstone-Komponenten wie Redstone-Verstärker, Redstone-Vergleicher und Beobachter, Energiequellen wie den Redstone-Block oder Tageslichtsensoren und weitere clevere Gegenstände wie Uhren und Kompasse herzustellen. Ach ja, und beim Brauen lässt sich damit die Wirkungsdauer von Statuseffekten verlängern!

DIE WICHTIGSTEN REDSTONE-BLÖCKE

REDSTONE-BLOCK

Eine der am einfachsten herzustellenden Energiequellen ist der Redstone-Block, für den man neun Einheiten Redstone-Staub benötigt. Er sendet ein konstantes Redstone-Signal an jeden benachbarten Block und kann nicht abgeschaltet werden.

REDSTONE-FACKEL

Eine nützliche Energiequelle, die aus einem Stock und einer Einheit Redstone-Staub hergestellt und auf den Boden oder an Wände platziert werden kann. Sie schaltet sich aus, wenn sie ein Redstone-Signal von anderswo empfängt.

HEBEL

Hebel sind sinnvoll, wenn du ein Redstone-Signal an- oder abschalten möchtest. Die Handhabung ist simpel: Wenn du ihn umlegst, gibt er ein maximales Redstone-Signal an den Block weiter, an dem er angebracht ist.

SCHALTER UND KNÖPFE

Betätige einen Schalter oder Knopf, um ein temporäres Redstone-Signal zu schicken, das sich nach einigen Ticks automatisch wieder abschaltet. Schalter und Knöpfe können nur von Spielern oder Projektilen aktiviert werden, also bieten sie sich als anfängliche Energiequellen an.

DRUCKPLATTEN

Es gibt vier verschiedene Arten dieser Platten und alle variieren etwas in der Aktivierung. Alle vier geben ein konstantes Signal an benachbarte Blöcke ab, solange die Aktivierungskriterien erfüllt sind.

Jetzt weißt du, was Redstone ist, also folgt hier ein Crashkurs zu den wichtigsten Blöcken, die du in deinen Redstone-Schaltkreisen verwenden wirst, ob als Energiequellen, zur Signalmanipulation oder um Output zu erzeugen. Fülle dein Inventar mit jeder Menge dieser Blöcke, bevor du weiterliest!

ZIEL

Das Ziel erzeugt für begrenzte Zeit ein Redstone-Signal, wenn es von einem Projektil getroffen wird. Je mittiger der Treffer, desto stärker fällt das Signal aus – also ziele ins Schwarze für maximale Power!

STOLPERDRAHTHAKEN

Platziere einen Faden zwischen zwei Stolperdrahthaken, um eine Energiequelle zu erhalten, die beim Hindurchgehen aktiviert wird. Der Stolperdraht ist schwer zu sehen, sodass er überwiegend in Fallen benutzt wird.

REDSTONE-TRUHE

Optisch ist sie von einer normalen Truhe nur durch das dumpfe rote Leuchten um den Verschluss zu unterscheiden. Wird sie geöffnet, schickt sie so lange ein Redstone-Signal an benachbarte Blöcke, bis sie wieder geschlossen wird.

TAGESLICHTSENSOR

Er wird von natürlichem Licht angetrieben und produziert ein Signal, dessen Stärke von der Tageszeit und dem Wetter abhängt. Seine Funktionsweise kann auch umgekehrt werden, sodass er nur in Abwesenheit der Sonne betrieben werden kann.

REDSTONE-VERSTÄRKER

Er verstärkt ein Redstone-Signal auf die maximale Stärke von 15, sodass es sich weiter von seiner Energiequelle entfernen kann. Er kontrolliert auch den Fluss von Signalen, da er nur ein Signal durch seine Ausgangsseite durchlässt.

REDSTONE-VERGLEICHER

Ein Vergleicher kann die Stärke von bis zu drei Signalen messen oder sie voneinander abziehen. Er wird auch verwendet, um den Füllstand von Verwahrungsblöcken oder die verbleibenden Stücke eines Kuchens zu bestimmen.

KOLBEN

Der Kolben ist in Redstone-Schaltkreisen mit beweglicher Mechanik sehr beliebt, da er eine große Anzahl von Blöcken schieben kann. Wird er durch ein Redstone-Signal aktiviert, drückt er seinen Kopf gegen den Block, der an ihn angrenzt.

HAFTENDER KOLBEN

Diese Variante kann nicht nur Blöcke wegschieben, sondern auch eine Vielzahl von Blöcken heranziehen. Es gibt zwar Ausnahmen wie zerbrechliche oder nicht verschiebbare Blöcke (Obsidian zum Beispiel), aber Haftende Kolben eröffnen in Schaltkreisen ganz neue Möglichkeiten.

SPENDER

In einem Spender kannst du Gegenstände verwahren – sobald er jedoch ein Redstone-Signal erhält, wirft er seinen Inhalt per Zufallsprinzip aus. Dabei wird oft dessen Funktion ausgelöst: Pfeile werden verschossen und Wurftränke geworfen.

AUSWURFBLOCK

Genau wie Spender sind Auswurfblöcke Verwahrungsblöcke, die Gegenstände auswerfen, wenn sie aktiviert werden – dabei lösen sie diese allerdings nie aus und stellen so eine sichere Methode dar, Gegenstände in einem Schaltkreis zu bewegen.

TRICHTER

Der vielseitigste Verwahrungsblock ist der Trichter. Er speist Gegenstände von einem Behälter in den anderen und sammelt Gegenstände ein, die auf ihn fallen. Somit sind Trichter ein wichtiger Bestandteil vieler Redstone-Konstruktionen.

BEOBACHTER

Ein Beobachter prüft ständig den Block direkt vor seiner Augenseite und löst bei einer Veränderung ein Redstone-Signal auf der gegenüberliegenden Seite aus. Er kann einige verschiedene Blockveränderungen erkennen.

SCULK-SENSOR

Während ein Beobachter überwiegend sichtbare Veränderungen registriert, sind es beim Sculk-Sensor Schwingungen. Er reagiert auf verschiedene akustische Töne und gibt je nach Nähe der Vibration ein verschieden starkes Signal aus.

PROFITIPP

Sculk-Sensoren erhältst du nur durch Bergbau oder aus Truhen. Du findest sie im Tiefen Dunkel.

DETEKTOR-SCHIENE

Die Detektor-Schiene ist eine Schienenvariante, die Loren erkennt und ein Redstone-Signal ausgibt, wenn eine Lore darauf steht oder darüberfährt. In Kombination mit Aktivierungs- und Antriebsschienen lassen sich so komplexe Gleisnetze legen.

AKTIVIERUNGSSCHIENE

Loren fahren auf Aktivierungsschienen wie auf normalen Schienen. Empfangen sie jedoch ein Redstone-Signal, werden alle darauf stehenden und darüberfahrenden Loren aktiviert – Trichterloren bewegen Gegenstände und TNT-Loren explodieren!

ANTRIEBSSCHIENE

Erhält eine Antriebsschiene ein Redstone-Signal, kann sie auf einer Gleisstrecke benachbarte Antriebsschienen aktivieren. Eine aktivierte Antriebsschiene beschleunigt Loren, bremst diese aber, wenn sie deaktiviert ist.

REDSTONE-LAMPE

Diese Lampe ist die einzige spezifische Redstone-Lichtquelle und wird aus Redstone-Staub und Glowstone hergestellt. Im Gegensatz zu Glowstone kann sie mit einem Redstone-Signal ein- und ausgeschaltet werden.

REDSTONE-FACKEL

Platziert man eine Redstone-Fackel, sendet sie ein konstantes Signal maximaler Stärke an horizontal benachbarte oder darüberliegende Blöcke. Redstone-Fackeln sind von Anfang an aktiviert, was sie zu idealen Energiequellen für Redstone-Lampen macht. Aber Vorsicht: Erhalten sie ein anderes Energiesignal, wird ihr Signal deaktiviert.

REDSTONE-BLOCK

Platziert man einen Redstone-Block, sendet er ein konstantes Signal maximaler Stärke an Blöcke in alle Richtungen. Im Gegensatz zur Redstone-Fackel kann sein Signal nicht umgekehrt werden, aber mit Kolben und Haftenden Kolben kannst du ihn bewegen und so in Wechsel-Energieversorgungsnetzen einsetzen. Du stellst ihn aus neun Einheiten Redstone-Staub her.

HEBEL

Legst du einen Hebel um, gibt er ein kontinuierliches Redstone-Signal maximaler Stärke aus, bis er erneut umgelegt wird. Öffnest du damit eine Tür, bleibt sie so lange offen, bis du den Schalter wieder umlegst. Kreaturen können keine Schalter umlegen – somit eignen sie sich perfekt für deine Haussicherheit.

Damit eine Redstone-Vorrichtung funktionieren kann, musst du einen der verschiedenen Energiequellenblöcke benutzen. Sie funktionieren alle etwas anders, sodass es immer den perfekten Block für deine Konstruktion gibt. Sehen wir uns die pfiffigen Helfer mal im Detail an.

SCHALTER

Wenn du einen Schalter betätigst, sendet er ein temporäres Signal maximaler Stärke an den Block, an dem er angebracht ist, oder an benachbarte Komponenten, bevor er sich wieder deaktiviert – dieses Verhalten nennt man monostabil. Er öffnet eine Tür lang genug, damit du hindurchgehen kannst, aber schließt sie wieder hinter dir, um unerwünschte Gäste fernzuhalten.

TAGESLICHTSENSOR

Wird ein Tageslichtsensor natürlichem Licht ausgesetzt, sendet er abhängig von der Helligkeit des Lichts ein variables Signal an benachbarte Komponenten. Das kannst du dir zunutze machen und automatische Nachtlichter bauen, die angehen, sobald es draußen dunkel wird. Ideal, um deine Basis zu sichern.

ZIEL

Das Ziel sendet ein monostabiles Redstone-Signal, sobald es von einem Projektil getroffen wird – je näher der Einschlag in der Mitte der Zielscheibe erfolgt, desto stärker das Signal. Pfeile und Dreizacke verdoppeln die Signaldauer. Damit kann man auch Redstone-Signale umleiten, wobei erhaltene Signale keinen Effekt auf das Ziel haben.

DRUCKPLATTEN

Es gibt vier verschiedene Arten dieser Platten – sie alle werden durch Belastung aktiviert beziehungsweise durch Entlastung deaktiviert.

Holzdruckplatten erzeugen immer die maximale Signalstärke, egal ob ein Spieler, eine Kreatur oder ein Gegenstand darauf lastet.

Steindruckplatten erzeugen dieselbe maximale Signalstärke wie Holzdruckplatten, werden aber nur von Spielern und Kreaturen ausgelöst.

Beschwerte Druckplatten (leicht) geben ein Signal abhängig von der Anzahl der Spieler, Kreaturen oder Gegenstände darauf ab – 15 Objekte produzieren die maximale Signalstärke.

Beschwerte Druckplatten (schwer) verhalten sich genauso wie die leichte Variante, benötigen aber die zehnfache Menge an Objekten.

REDSTONE-TRUHEN

Du kannst darin Gegenstände verwahren und benachbarte Redstone-Komponenten aktivieren, indem du sie öffnest. Die Signalstärke hängt von der Anzahl der Spieler ab, die auf die Truhe zugreifen (max. 15). Der Truheninhalt kann mit einem Vergleicher gemessen werden, um dann ein entsprechendes Signal je nach Füllstand auszugeben. Sobald die Truhe geschlossen wird, endet das Signal.

STOLPERDRAHTHAKEN

Bringe zwei Stolperdrahthaken an soliden Blöcken gegenüber voneinander an und verbinde sie dann mit einem Faden. Sobald ein Spieler oder eine Kreatur über den Draht stolpert, entsteht bei beiden Haken ein monostabiles Signal maximaler Stärke – ideal, um mehrere Komponenten einer Vorrichtung gleichzeitig zu aktivieren, z. B. eine Alarmanlage und automatische Pfeilschussanlage.

BEOBACHTER

Ein Beobachter observiert einen Block direkt vor sich und sendet ein maximales monostabiles Signal, wann immer er eine Veränderung registriert. Er erkennt, wenn ein Gegenstand in einem Gegenstandsrahmen gedreht wird oder Ackerpflanzen einen Wachstumsschub haben. Dann sendet er ein Signal von seiner Rückseite, also gegenüber vom beobachteten Block.

SCULK-SENSOR

Der Sculk-Sensor registriert Schwingungen in einem Radius von neun Blöcken und gibt ein monostabiles Signal aus, das je nach Nähe der Vibration stärker ist. Das Signal wird kabellos produziert, der Sensor muss also nicht direkt mit den Redstone-Komponenten verbunden sein, um sie zu aktivieren. Das kann bei größeren Vorrichtungen und Unachtsamkeit dazu führen, dass unerwünschte Komponenten mitaktiviert werden. Du kannst einen Redstone-Vergleicher benutzen, um ein traditionelles Redstone-Signal abhängig von der registrierten Schwingung zu erzeugen.

REDSTONE-EINSTIEG MIT:
JIGARBOY

WAS HAT DICH VERANLASST, DICH MIT REDSTONE ZU BESCHÄFTIGEN?

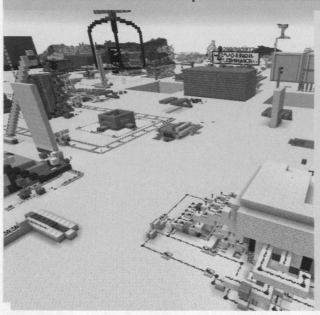

„Ich war immer daran interessiert, Spiele zu machen, das Programmieren lag mir aber nicht so. Zwar gab es schon davor Spiele-Software, die Spieleentwicklung ermöglicht hat, aber die einfache Weltenerstellung in Minecraft und die ganzen Redstone-Möglichkeiten, gepaart mit den inzwischen sehr umfangreichen Befehlsblock-Syntaxen, haben mir endlich erlaubt, meinen Traum zu verfolgen und Spiele auf dem Minecraft-Marktplatz anzubieten. Alles begann damit, dass ich eines Tages mit Redstone in einer großen Sandsteinwelt herumexperimentierte und das ungeheure Potenzial erkannte."

WAS HAT DICH REDSTONE DEM KREATIVEN BAUEN VORZIEHEN LASSEN?

„An Redstone liebe ich das Konstruieren von Apparaturen, die die Welt um einen herum beeinflussen – so wie bei jedem guten Werkzeug, nur indirekter. Ich bin nicht der kreativste Baumeister, doch Redstone erlaubt mir, eine dynamische Geschichte zu erzählen, anstatt eine statische Welt zu konstruieren."

Redstone wirkt auf den ersten Blick wie eine haarsträubend komplizierte Sammlung von Systemen, also haben wir mit Meisteringenieur, YouTube-Größe und Marktplatz-Entwickler Jigarbov gesprochen, um herauszufinden, wie er seine ersten Schritte in der knifflichen Welt von Redstone begangen hat.

WAS HAST DU MIT REDSTONE ALLES ZUSTANDE GEBRACHT?

ITEMS BY JIGARBOV PRODUCTIONS

SEE FULL CATALOG

„Redstone zu beherrschen hat mir ermöglicht, interaktive Erfahrungen, Spiele, Puzzles und andere Karten für Spieler zu erschaffen. Danach kann man zu Befehlsblöcken und dem Erstellen von Code übergehen und einer Profikarriere auf dem Minecraft-Marktplatz steht nichts mehr im Wege."

WAS MAGST DU AN REDSTONE AM MEISTEN?

„Am meisten schätze ich daran wohl, wie sehr es logische Regeln einhält. Mache dies, dann passiert das. Der Schritt von dieser Art von Logik zum Programmieren ist dann überraschenderweise kein so großer mehr – abgesehen davon, dass man keinen Staub mehr ausstreut, sondern Code schreibt."

WORAUF FREUST DU DICH IN ZUKUNFT BEZÜGLICH REDSTONE?

„Jeder Redstone-Neuzugang ist spannend wie beispielsweise der Sculk-Sensor, der bisher nicht unterstützte Mechaniken wie kabellose Redstone-Leitungen ermöglicht."

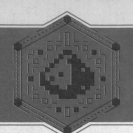
REDSTONE-VERSTÄRKER

Verstärker werden genutzt, um den Fluss eines Signals zu kontrollieren und seine maximale Stärke wiederherzustellen. Redstone-Energie fließt vom Verstärker nur in eine Richtung, angegeben durch den großen Pfeil darauf. Erhält ein Verstärker von einem anderen seitlich ein Signal, fixiert er das Ausgangssignal und ignoriert Veränderungen des Eingangssignals. Du kannst verschiedene Stufen am Verstärker einstellen, um das Signal zu verzögern.

KOLBEN

Erhält ein Kolben ein Redstone-Signal, fährt er seinen Kopf in die Richtung aus, in die er zeigt, und schiebt den sich dort befindlichen Block weg. Er kann bis zu zwölf Blöcke in einer Reihe wegschieben, einschließlich Blöcken, die mit Schleim- oder Honigblöcken verbunden sind. Manche Blöcke können nicht geschoben werden, wie zum Beispiel Leitsteine, während andere wie Kürbisse zerbrechen.

HAFTENDER KOLBEN

Der Kopf eines Haftenden Kolbens ist mit Schleim bedeckt, was ihm ermöglicht, die meisten verschiebbaren Blöcke auch zu ziehen. Sie eignen sich für geniale Vorrichtungen wie zum Beispiel Zugbrücken über Lavagräben!

TRICHTER

Mit einem Trichter kannst du verwahrte Gegenstände präzise hin und her bewegen. Er verfügt über eine veränderliche Ausgaberöhre, die Blockseiten zugewandt wird oder direkt nach unten zeigen kann, je nachdem, wohin du die Gegenstände befördern möchtest. Die Öffnung oben dient zur Aufnahme loser Gegenstände, kann aber auch Gegenstände aus einer Truhe nehmen und sie direkt in einer anderen ablegen.

Was nützt ein Redstone-Signal, wenn es nichts auslöst? Genau da kommen diese wunderbaren Blöcke ins Spiel! Jeder manipuliert auf irgendeine Weise Signale, Gegenstände oder Blöcke und kann als Endpunkt oder Zahnrad in deinem genialen Apparat fungieren.

AUSWURFBLOCK

Auswurfblöcke haben Inventarplätze und geben einen einzelnen Gegenstand aus, wann immer sie ein Redstone-Signal erhalten. Sie können aus allen Richtungen aktiviert und in alle sechs Richtungen ausgerichtet werden. Befinden sich verschiedene Gegenstände im Inventar, wird der auszugebende Gegenstand zufällig gewählt. Anders als Spender aktivieren Auswurfblöcke niemals Gegenstände.

SPENDER

Spender geben Gegenstände aus, wann immer sie ein Redstone-Signal erhalten. Genau wie Auswurfblöcke rücken sie pro Signal nur einen einzelnen Gegenstand heraus, sie müssen sich also in einem Schaltkreis befinden, um immer wieder aufs Neue aktiviert und zur Ausgabe bewegt zu werden. Manche Gegenstände werden dabei aktiviert – Pfeile, Eier und Schneebälle werden verschossen und geworfen, Rüstungsteile vorbeigehenden Spielern oder Kreaturen angelegt, und TNT und Feuerwerksraketen scharf gemacht!

REDSTONE-VERGLEICHER

Vergleicher sind Mehrzweckblöcke. Wie Verstärker leiten sie Signale in eine Richtung weiter, können zusätzlich aber auch den Inhalt von Verwahrungsblöcken messen und ein Signal ausgeben, dessen Stärke vom Füllstand abhängt. Sie haben zwei Hauptmodi – Vergleichen und Vermindern.

Im Verminderungsmodus wird das stärkste seitliche Signal vom hinten eingehenden Signal abgezogen. Hat das stärkste seitliche Signal eine Stärke von 3 und das rückseitige Signal eine Stärke von 10, wird ein Signal der Stärke 7 ausgegeben. Ist das seitliche stärker als das hintere, wird kein Signal ausgegeben.

Im Vergleichsmodus ist die vordere Minifackel aus und der Vergleicher vergleicht die Stärke der seitlichen Signale mit der Stärke des hinteren Signals. Ist dieses stärker als jedes der beiden seitlichen Signale, wird es vorn ausgegeben; ist dem nicht so, wird kein Signal ausgegeben.

REDSTONE-SCHIENEN

SCHIENEN

Normale Schienen werden zusammen mit den Redstone-Varianten für Gleisnetze genutzt. Sie verbinden sich ähnlich wie Redstone-Staub, um Kurven, T-Kreuzungen, Kreuzungen und Rampen zu bilden. Die Weichen von T-Kreuzungen und Kreuzungen können mit Energiequellen umgeschaltet werden, um die Fahrtrichtung zu ändern.

ANTRIEBSSCHIENE

Möchtest du Loren beschleunigen, brauchst du Antriebsschienen, die mit einer Detektor-Schiene oder anderen Energiequellen aktiviert werden müssen. Dank der Kraft von Redstone kannst du Loren Anhöhen erklimmen lassen und sogar Achterbahnen konstruieren.

DETEKTOR-SCHIENE

Die Detektor-Schiene ist die einzige schienenartige Energiequelle und kann Redstone-Schienen und andere Redstone-Komponenten aktivieren. Sie erzeugt ein Signal maximaler Stärke, wenn eine Lore darauf steht oder darüberfährt. Platziert man einen Vergleicher daneben, wird abhängig vom Füllstand ein variables Signal erzeugt, wenn Güter- oder Trichterloren vorbeifahren.

Wer sagt, dass Redstone-Vorrichtungen am selben Fleck bleiben müssen? Mithilfe von Schienen kannst du Redstone auf die Reise schicken, was ganz neue Möglichkeiten und Funktionsweisen eröffnet. Sehen wir doch mal, wie man mit einfachen Schienen unglaubliche Redstone-Fahrten realisieren kann ...

AKTIVIERUNGSSCHIENE

Fährt eine Lore, TNT-Lore oder Trichterlore über eine aktive Aktivierungsschiene, werden entweder a) Kreaturen oder Spieler herausgeschleudert, b) das TNT entzündet oder c) der Trichter abgeschaltet, sodass er keine Gegenstände mehr aufnimmt. Eine Trichterlore sammelt erneut Gegenstände auf, wenn sie über eine deaktivierte Aktivierungsschiene fährt.

LOREN

Du hast jetzt ein cooles Redstone-Schienennetz und musst nur noch entscheiden, was darauf fahren soll. Hier eine Übersicht aller Loren:

LORE	GÜTERLORE	ANTRIEBSLORE	TRICHTERLORE	TNT-LORE
Die Standardlore kann einen Spieler oder eine Kreatur befördern und reagiert auf Aktivierungsschienen.	*Eine Güterlore hat dasselbe Fassungsvermögen wie eine Truhe. Je voller sie ist, desto schneller bremst sie ab.*	*Die Lokomotive unter den Loren – heize sie mit Brennstoff an und sie fährt auch ohne Redstone-Impuls über dein Gleisnetz.*	*Die Trichterlore sammelt Gegenstände von den Schienen auf oder holt sie aus Verwahrungsblöcken über ihr heraus.*	*Explodiert, wenn sie Kurven zu schnell nimmt. Sie wird mit Aktivierungsschienen scharf gemacht und dient im sprengstoffbasierten Bergbau.*

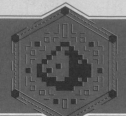

REDSTONE-WERKZEUGKASTEN

GLASIERTE KERAMIK

Ein guter Baublock für den Anfang ist glasierte Keramik. Ihre Muster eignen sich nicht nur prima zum Abgrenzen verschiedener Mechanismen innerhalb deiner Vorrichtung, sie kann auch mit Kolben geschoben, aber nicht von Haftenden Kolben gezogen werden.

SCHLEIMBLOCK

Die Klebrigkeit von Schleimblöcken kann zusammen mit Kolben und Haftenden Kolben genutzt werden, um Blöcke zu verschieben, die sich nicht unmittelbar vor dem Kolbenkopf befinden, solange die verbundenen Blöcke nicht mehr als zwölf sind. Die meisten Kreaturen prallen von Schleimblöcken ab, Gegenstände hingegen nicht.

HONIGBLOCK

Wie Schleimblöcke versuchen auch Honigblöcke, benachbarte Blöcke zu bewegen, wenn sie von einem der beiden Kolbentypen geschoben werden. Gegenstände, Spieler und Kreaturen bleiben jedoch an ihnen kleben. Spieler und Kreaturen können nur langsam von einem Honigblock wegkommen.

TNT

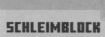

TNT steckt in vielen Apparaten von Bergbauroboter bis Pfeilkanone. Dieser explosive Block kann mit Redstone-Staub und vielen der Redstone-Blöcke scharf gemacht werden. Es wird oft mit Kolben und Schleimblöcken kombiniert, um es von der Redstone-Vorrichtung wegzuschleudern, von der es ausging.

OBSIDIAN

Wenn du das TNT nicht von deiner Vorrichtung wegschleudern kannst, ist Obsidian deine beste Wahl, um die wichtigsten Teile deines Schaltkreises zu schützen. Er hat einen der höchsten Explosionswiderstände im Spiel und schützt vor fast jeder Explosion, sei es durch TNT, Feuerbälle oder Creeper. Obsidian widersteht auch dem Fluss von Wasser und Lava. Er kann nicht bewegt werden, wenn du ihn platziert hast.

Für deine Vorrichtungen kannst du natürlich nicht nur Redstone-Blöcke benutzen, das würde nämlich in Chaos ausarten. Strukturen baust du daher mit normalen Baublöcken — doch es gibt auch ein paar spezielle Blöcke, die das Verhalten von Redstone-Blöcken perfekt ergänzen.

ANTIKER SCHUTT

Du willst die Haltbarkeit von Obsidian, die Blöcke aber auch bewegen können? Dann bist du beim Antiken Schutt goldrichtig. Im Gegensatz zu Obsidian kann er von Kolben und Haftenden Kolben geschoben und gezogen werden, was ihn zu beweglichen und widerstandsfähigen Bauelementen macht.

STUFEN

Diese halbhohen Blöcke, die es in über 50 Varianten gibt, sind nützlich, wenn du kompakte vertikale Signalleitungen bauen willst. Anstatt einer Spirale aus Redstone-Staub, der nach oben oder unten wandert (Seite 32), kannst du sie in Leiter-Formationen innerhalb eines 1 × 2 großen Blockraums anordnen, um deine Redstone-Leitung zu vereinfachen. Allerdings müssen die Stufen die obere Hälfte des Blockraums einnehmen.

GEGENSTANDS-RAHMEN

Am einfachsten erzeugst du ein variables Redstone-Signal mit einem Gegenstandsrahmen. Platziere einen Rahmen auf einen Block vor dem Vergleicher und wähle eine Signalstärke anhand der Ausrichtung des Gegenstands darin aus!

NOTENBLÖCKE

Notenblöcke können mit Redstone aktiviert werden. Sie können als Alarmanlagen eingesetzt werden oder aufgereiht eine Komposition abspielen. Ändere die Tonlagen, indem du mit ihnen interagierst, oder stelle das Instrument ein, indem du die Blöcke austauschst, auf denen sie liegen.

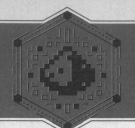

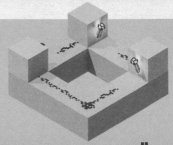

DER KREATIVITÄT FREIEN LAUF LASSEN

Baue deine erste Vorrichtung im Kreativmodus, damit dir nicht alle naselang explosive Creeper deine Schaltkreise zersprengen. Dann kannst du dich voll auf dein Redstone-Können konzentrieren, ohne dir Sorgen über Monster, Gesundheit und Hunger machen zu müssen.

VERWENDE FARBIGE BLÖCKE

Einfarbige Baublöcke wie Keramik lassen die Redstone-Elemente deiner Mechanismen herausstechen. Sobald deine Bauwerke komplexer werden, kannst du verschiedene Teile davon mit Keramik in einer anderen Farbe hervorheben, um Fehler leichter finden zu können.

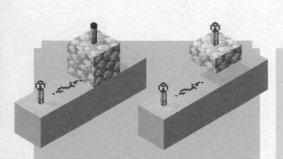

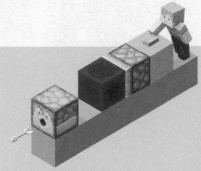

UNKLARHEITEN BESEITIGEN

Es gibt auch unvollständige und durchsichtige Blöcke, die ein Redstone-Signal übertragen, doch in den meisten Fällen ist es anfangs einfacher, ganze und undurchsichtige Blöcke zu benutzen, ob du nun über einen Schalter ein Signal weitergeben oder einfach Leitungen aus Redstone-Staub legen möchtest. Unvollständige Blöcke bieten sich später noch für kompakte Bauvorhaben an.

TESTEN, TESTEN, TESTEN!

Verbringe nicht Stunden damit, eine Konstruktion zu bauen, ohne sie auch immer wieder zu testen – sonst betätigst du am Ende den Schalter und ... es passiert rein gar nichts! Überprüfe also regelmäßig, dass sämtliche Teile wie geplant funktionieren, bevor du dich an den nächsten Abschnitt machst. So ist es weniger frustrierend, wenn auf einer der Etappen mal etwas nicht funktioniert.

Redstone ist eine komplizierte Angelegenheit – und der Einsatz in diversen Vorrichtungen kann schon mal ein wenig frustrieren. Aber selbst die besten Baumeister haben Schwierigkeiten. Die folgenden Tipps sollten dir dabei helfen, alle Ungereimtheiten in deinen Konstruktionen zu beseitigen.

ERST MAL MUSS ES FUNKTIONIEREN

Du triffst sicher auf Redstone-Ingenieure, die ihre Vorrichtungen so klein, schnell oder geräuschlos wie möglich bauen wollen. Das sind tolle Ziele, aber konzentriere dich erst einmal darauf, einen funktionstüchtigen Apparat zu bauen. Danach kannst du immer noch Teile deines Projekts verkleinern oder effizienter machen, indem du sie durch andere Mechanismen ersetzt.

TAUSCHE BLÖCKE AUS

Der Werkzeugkasten für Redstone ist groß und die Interaktionsmöglichkeiten bilden ein komplexes Netzwerk. Wahrscheinlich weißt du genau, wie deine Vorrichtung funktionieren soll, aber scheue dich nicht, Blöcke auszutauschen und zu sehen, wie sie deine Schaltkreise verändern. Möchtest du zum Beispiel, dass ein Signal nur in eine Richtung fließt, vergleiche, wie ein Vergleicher und ein Verstärker dies beeinflussen.

IN DER PRAXIS

Du kennst jetzt die Grundlagen und hast dein
Inventar mit allen Redstone-Komponenten gefüllt,
die dein Baumeisterherz begehrt. Es wird Zeit, zur
Praxis überzugehen und ein paar fantastische
Bauten anzugehen. In dieser Sektion lernst du
die verschiedenen Schaltkreise kennen und wie du
sie kombinieren kannst, um einfache Vorrichtungen
zu bauen – auf die natürlich später epische
Bauwerke folgen!

REDSTONE-REZEPTE

SIGNALUMKEHRUNG

Wenn du an der Vorderseite eines soliden Blocks eine Redstone-Fackel anbringst, kannst du das Signal umkehren, das an seiner Rückseite eingeht. Sprich, die vordere Fackel ist nur dann an, wenn die Hauptenergiequelle ausgeschaltet ist. Schalte so die Funktion eines Hebels, Schalters oder einer Druckplatte um.

VERTIKALE UMKEHRUNG

Kehre ein vertikales Signal um, indem du Redstone-Fackeln und solide Blöcke abwechselnd stapelst. Das funktioniert genauso wie die Signalumkehrung, das Signal wird dabei jedoch nach oben weitergegeben. Allerdings brauchst du eine ungerade Anzahl an zusätzlichen Redstone-Fackeln, um das Signal umzukehren, andernfalls ist Eingangssignal gleich Ausgangssignal.

SCHLEIMIGER KOLBEN

Damit meinen wir keinen Haftenden Kolben, sondern einen Kolben mit einem Schleimblock am Kopfende. Anstatt nur den Block an der Vorderseite des Kolbens zu schieben und zu ziehen, ermöglicht der Schleimblock, Blöcke an den fünf anderen Seiten zu schieben und zu ziehen. Ein Honigblock liefert das gleiche Ergebnis.

Bevor wir uns eingehend mit Schaltkreisen beschäftigen, sollten wir ein paar hilfreiche Kombinationen behandeln, die du in einigen der Bauanleitungen wiederfinden wirst. Diese Erkenntnisse werden dir auch in anderen Schaltkreisen und Vorrichtungen nützen!

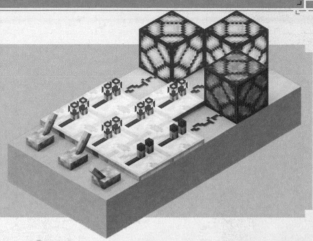

SIGNALFLUSS-KONTROLLE

Verstärker verstärken nicht nur Redstone-Signale, sie kontrollieren auch den Energiefluss in Redstone-Schaltkreisen. Sie greifen ein Signal von einem seitlichen Block auf und geben es ausschließlich vorn aus, sodass du mehrere parallel verlaufende Leitungen anlegen kannst.

STUFENSCHALTKREIS

Stufen sind in Schaltkreisen einzigartig, da sie nur einen halben Block groß sind – trotzdem lassen sie sich mit Redstone-Staub bestreuen. Sie sind ideal, um vertikalen Energiefluss zu kontrollieren, da sie ein Signal nur nach oben weitergeben, vergleichbar mit dem Verhalten eines Verstärkers, der horizontale Signale kontrolliert.

FÜLLSTANDMESSUNG

Die Hauptfunktion eines Redstone-Vergleichers ist das Vergleichen und Vermindern von Signalen, er kann aber auch Blockzustände messen und entsprechende Signale ausgeben. Er kann den Füllstand jedes Blocks mit Inventarplätzen messen – das beinhaltet Truhen und Spender, aber auch Bienenstöcke und -nester, Kuchen, Kessel, Kompostierer, Befehlsblöcke, Endportalrahmen, Gegenstandsrahmen, Plattenspieler, Lesepulte, Respawn-Anker und Sculk-Sensoren.

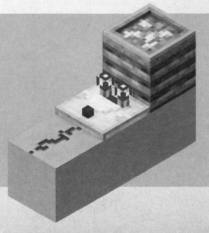

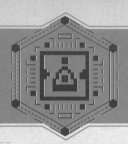

VERTIKALE SCHALTUNG

TREPPE

Diese vertikale Schaltung kann ein Redstone-Signal nach oben oder unten weitergeben, benötigt aber viel Platz, vor allem, wenn du sie um andere Elemente herumbauen musst.

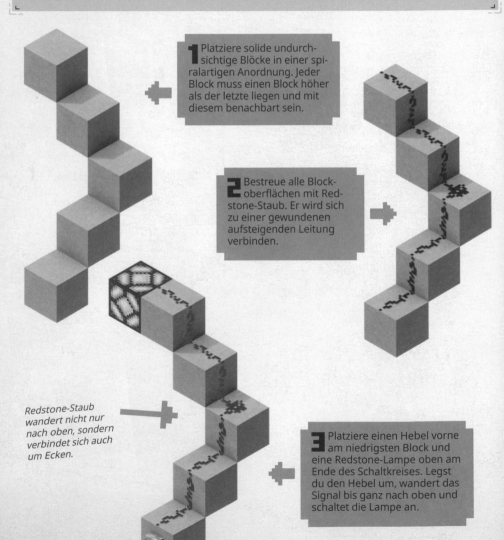

1 Platziere solide undurchsichtige Blöcke in einer spiralartigen Anordnung. Jeder Block muss einen Block höher als der letzte liegen und mit diesem benachbart sein.

2 Bestreue alle Blockoberflächen mit Redstone-Staub. Er wird sich zu einer gewundenen aufsteigenden Leitung verbinden.

Redstone-Staub wandert nicht nur nach oben, sondern verbindet sich auch um Ecken.

3 Platziere einen Hebel vorne am niedrigsten Block und eine Redstone-Lampe oben am Ende des Schaltkreises. Legst du den Hebel um, wandert das Signal bis ganz nach oben und schaltet die Lampe an.

Es ist Zeit, die Theorie in die Praxis umzusetzen und deinen ersten Schaltkreis zu bauen. Wir beginnen mit etwas Einfachem: einer vertikalen Schaltung, die ein Signal vom Boden nach oben schickt – damit kannst du Mechanismen kontrollieren, die deutlich über oder unter einem Einschalter liegen müssen.

LEITER

Diese Variante ist wesentlich kompakter und benötigt am Boden nur einen 1 × 2 großen Blockraum, kann ein Redstone-Signal allerdings nur nach oben leiten.

1 Baue zwei Säulen mit soliden Blöcken und lasse dazwischen einen Abstand von zwei Blöcken.

2 Füge neben dem niedrigsten Block einer der Säulen eine Stufe ein. Sie sollte die obere Hälfte des Blockraums einnehmen, also platziere sie neben der oberen Hälfte des Blocks.

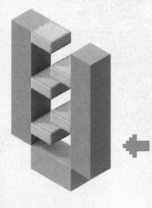

3 Das wiederholst du an der anderen Säule, indem du eine Stufe neben der oberen Blockhälfte des zweiten Blocks anbringst. Fahre bis zur gewünschten Höhe fort.

4 Zerstöre die soliden Blöcke bis auf den, neben dem die niedrigste Stufe angebracht ist. Bestreue alle Stufen mit Redstone-Staub. So verbindet er sich nicht.

5 Platziere einen Hebel auf dem soliden Block und eine Redstone-Lampe neben der höchsten Stufe. Wenn du ihn umlegst, wandert das Signal zur Lampe und sie leuchtet.

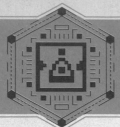

ALARMANLAGE

HAUPTBLÖCKE

VORDERANSICHT   **SEITENANSICHT**   **DRAUFSICHT**

Wende nun dein Redstone-Wissen an und baue eine Vorrichtung mit vertikalen Schaltungen. Diese Alarmanlage nutzt sowohl eine Treppe als auch eine Leiter, um Alarm zu schlagen, sobald Eindringlinge in deine Basis einfallen wollen – sie wird sogar versuchen, sie zu vertreiben!

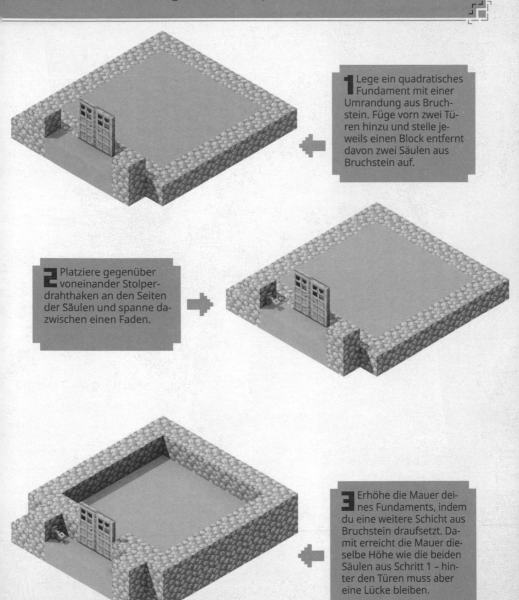

1 Lege ein quadratisches Fundament mit einer Umrandung aus Bruchstein. Füge vorn zwei Türen hinzu und stelle jeweils einen Block entfernt davon zwei Säulen aus Bruchstein auf.

2 Platziere gegenüber voneinander Stolperdrahthaken an den Seiten der Säulen und spanne dazwischen einen Faden.

3 Erhöhe die Mauer deines Fundaments, indem du eine weitere Schicht aus Bruchstein draufsetzt. Damit erreicht die Mauer dieselbe Höhe wie die beiden Säulen aus Schritt 1 – hinter den Türen muss aber eine Lücke bleiben.

4 Streue Redstone-Staub vom Block hinter dem mit dem linken Stolperdrahthaken über die halbe Länge der Mauer aus.

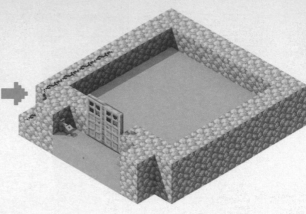

5 Über die Redstone-Spur kommt jetzt die Leiter. Baue mit ein paar Blöcken eine Hilfswand und füge abwechselnd Stufen hinzu, bis die gewünschte Höhe erreicht ist. Streue auf jede Stufe Redstone-Staub.

6 Baue oben eine Reihe mit vier soliden Blöcken an die Treppe, die zur Mitte des Bauwerks geht. Platziere Redstone-Staub auf den ersten, einen Verstärker auf den zweiten und je einen Notenblock auf den dritten und vierten. Der Verstärker erhöht das Redstone-Signal, das so die Notenblöcke erreicht.

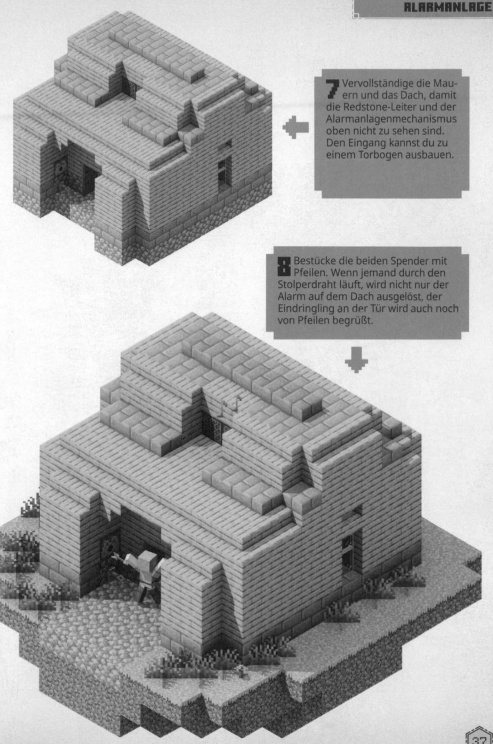

7 Vervollständige die Mauern und das Dach, damit die Redstone-Leiter und der Alarmanlagenmechanismus oben nicht zu sehen sind. Den Eingang kannst du zu einem Torbogen ausbauen.

8 Bestücke die beiden Spender mit Pfeilen. Wenn jemand durch den Stolperdraht läuft, wird nicht nur der Alarm auf dem Dach ausgelöst, der Eindringling an der Tür wird auch noch von Pfeilen begrüßt.

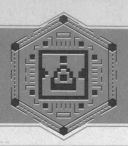

LOGIKGATTER

NICHT-GATTER

Das erste Logikgatter, das wir uns anschauen, ist das NICHT-Gatter. Standardmäßig wird eine Redstone-Komponente aktiviert, wenn die Energiequelle an ist, steht aber ein NICHT-Gatter zwischen Quelle und Komponente, wird die Komponente aktiviert, wenn die Quelle NICHT an ist, und deaktiviert, wenn die Quelle an ist.

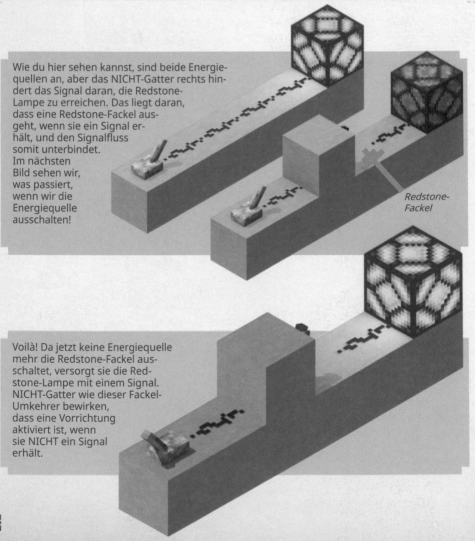

Wie du hier sehen kannst, sind beide Energie-quellen an, aber das NICHT-Gatter rechts hin-dert das Signal daran, die Redstone-Lampe zu erreichen. Das liegt daran, dass eine Redstone-Fackel aus-geht, wenn sie ein Signal er-hält, und den Signalfluss somit unterbindet. Im nächsten Bild sehen wir, was passiert, wenn wir die Energiequelle ausschalten!

Redstone-Fackel

Voilà! Da jetzt keine Energiequelle mehr die Redstone-Fackel aus-schaltet, versorgt sie die Red-stone-Lampe mit einem Signal. NICHT-Gatter wie dieser Fackel-Umkehrer bewirken, dass eine Vorrichtung aktiviert ist, wenn sie NICHT ein Signal erhält.

Schaltkreise können nicht nur Signale nach oben oder unten schicken, sondern auch kontrollieren, ob ein Signal überhaupt gesendet wird. Mit Logikgattern kann man ein oder mehrere Signale ordnen und eine Ausgabe erzeugen, wenn bestimmte Bedingungen erfüllt sind. Hier einige Beispiele.

ODER-GATTER

Du möchtest mehrere Eingabequellen in einer Redstone-Vorrichtung ermöglichen? Dann verwende doch ein ODER-Gatter, das ein Signal weiterleiten wird, wenn einer der Eingänge aktiviert ist. Das folgende Beispiel verwendet drei Eingabequellen, die Redstone-Verstärkern vorgeschaltet sind, um die Signale zu isolieren.

In diesem Beispiel bleibt der Redstone-Staub hinter allen Quellen aktiviert und versorgt die Redstone-Lampe mit Energie, wenn der erste ODER zweite ODER dritte Hebel umgelegt ist. Die Lampe bleibt an, solange eine, zwei oder alle drei Energiequellen aktiviert sind, was diese Vorrichtung zu einem Eingabe-Ausgabe-Mechanismus macht mit dem Unterschied, dass er von mehreren Eingabeorten kontrolliert werden kann.

Sind alle Eingabequellen deaktiviert, erhält das ODER-Gatter keine Energie, der Redstone-Staub kein Signal und die Redstone-Lampe ist aus. Aber die multiplen Eingabemöglichkeiten machen dieses Logikgatter zu einer nützlichen Variante, die als Grundlage für andere Logikgatter (zum Beispiel das NICHT-ODER-Gatter auf der nächsten Seite) dient oder mehrere Signale voneinander trennen kann, die alle dieselbe Funktion erfüllen.

NICHT-ODER-GATTER

Man kann ein NICHT- und ein ODER-Gatter kombinieren, um ein Logikgatter zu erhalten, das nur dann ein Signal weitergibt, wenn keine Eingabequelle an ist. Für so ein NICHT-ODER-Gatter fügst du den Fackel-Umkehrer-Mechanismus vom NICHT-Gatter einem ODER-Gatter hinzu.

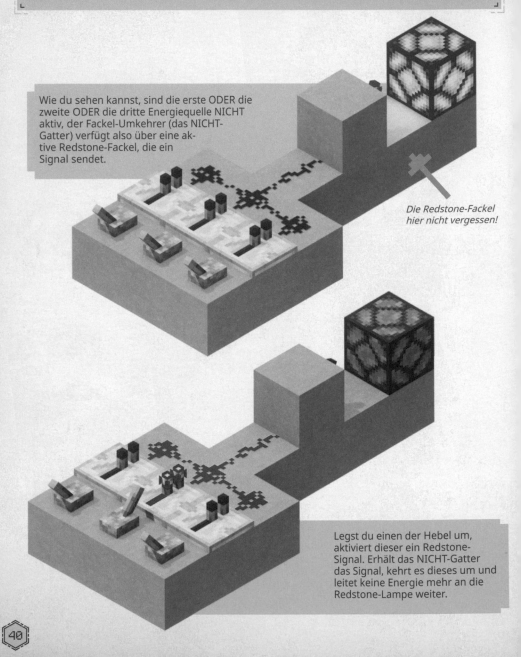

Wie du sehen kannst, sind die erste ODER die zweite ODER die dritte Energiequelle NICHT aktiv, der Fackel-Umkehrer (das NICHT-Gatter) verfügt also über eine aktive Redstone-Fackel, die ein Signal sendet.

Die Redstone-Fackel hier nicht vergessen!

Legst du einen der Hebel um, aktiviert dieser ein Redstone-Signal. Erhält das NICHT-Gatter das Signal, kehrt es dieses um und leitet keine Energie mehr an die Redstone-Lampe weiter.

UND-GATTER

Zu guter Letzt haben wir noch das UND-Gatter, welches ein Signal nur dann weiterleitet, wenn alle Eingabekomponenten aktiviert sind. Unser Beispiel zeigt ein UND-Gatter mit zwei Eingabequellen, die mit Redstone-Fackeln verbunden sind. Sind beide deaktiviert, bleiben die Redstone-Fackeln an und versorgen den Redstone-Staub zwischen sich mit Energie, was die letzte Redstone-Fackel deaktiviert.

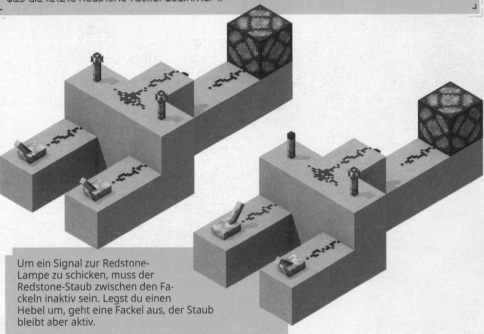

Um ein Signal zur Redstone-Lampe zu schicken, muss der Redstone-Staub zwischen den Fackeln inaktiv sein. Legst du einen Hebel um, geht eine Fackel aus, der Staub bleibt aber aktiv.

Wenn du den zweiten Hebel umlegst, sind beide Fackeln aus und der Redstone-Staub dazwischen inaktiv – das schaltet die letzte Fackel an und ein Signal wird zur Lampe geschickt.

PROFITIPP

Logikgatter können leicht ausgebaut werden. Wenn du ihr Zusammenspiel verstehst, kannst du weitere Eingabequellen hinzufügen oder sie miteinander kombinieren, um verschiedene Logiken für deine Vorrichtungen zu erschaffen.

SCHIESSSTAND

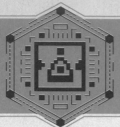

SCHWIERIGKEITSGRAD:

⬡ ⬡ ⬡ ⬡ ⬡

🕐 35 Minuten

HAUPTBLÖCKE

VORDERANSICHT

SEITENANSICHT

DRAUFSICHT

Mithilfe eines NICHT-ODER-Gatters bauen wir diese spaßige Jahrmarktsbude, die dein Können mit Pfeil und Bogen auf die Probe stellt. Am Ende wird ein Feuerwerk ausgelöst, sofern du bei drei Zielen ins Schwarze getroffen hast. Zugegeben, derselbe Effekt tritt ein, wenn du bei einem der Ziele dreimal die Mitte triffst, aber das ist nicht im Sinne des Erfinders!

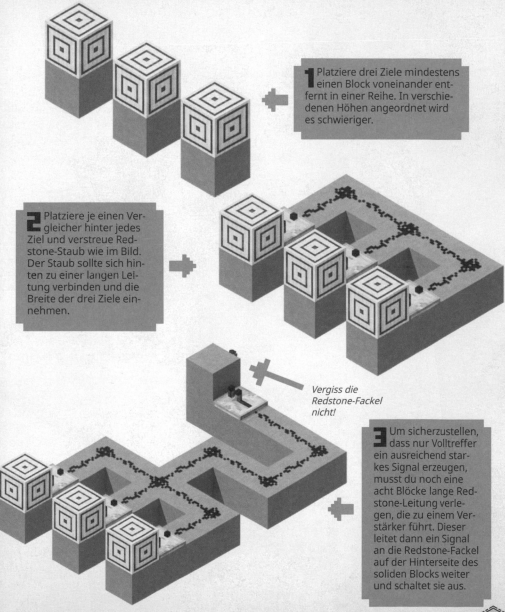

1 Platziere drei Ziele mindestens einen Block voneinander entfernt in einer Reihe. In verschiedenen Höhen angeordnet wird es schwieriger.

2 Platziere je einen Vergleicher hinter jedes Ziel und verstreue Redstone-Staub wie im Bild. Der Staub sollte sich hinten zu einer langen Leitung verbinden und die Breite der drei Ziele einnehmen.

Vergiss die Redstone-Fackel nicht!

3 Um sicherzustellen, dass nur Volltreffer ein ausreichend starkes Signal erzeugen, musst du noch eine acht Blöcke lange Redstone-Leitung verlegen, die zu einem Verstärker führt. Dieser leitet dann ein Signal an die Redstone-Fackel auf der Hinterseite des soliden Blocks weiter und schaltet sie aus.

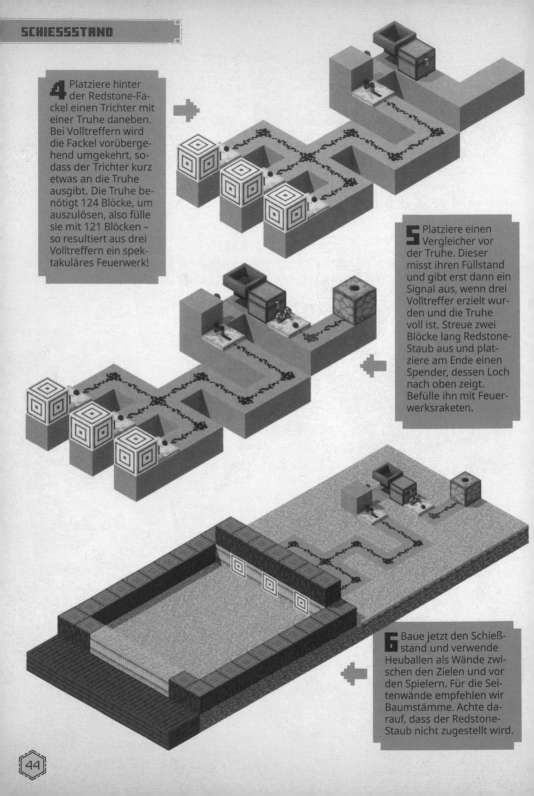

4 Platziere hinter der Redstone-Fackel einen Trichter mit einer Truhe daneben. Bei Volltreffern wird die Fackel vorübergehend umgekehrt, sodass der Trichter kurz etwas an die Truhe ausgibt. Die Truhe benötigt 124 Blöcke, um auszulösen, also fülle sie mit 121 Blöcken – so resultiert aus drei Volltreffern ein spektakuläres Feuerwerk!

5 Platziere einen Vergleicher vor der Truhe. Dieser misst ihren Füllstand und gibt erst dann ein Signal aus, wenn drei Volltreffer erzielt wurden und die Truhe voll ist. Streue zwei Blöcke lang Redstone-Staub aus und platziere am Ende einen Spender, dessen Loch nach oben zeigt. Befülle ihn mit Feuerwerksraketen.

6 Baue jetzt den Schießstand und verwende Heuballen als Wände zwischen den Zielen und vor den Spielern. Für die Seitenwände empfehlen wir Baumstämme. Achte darauf, dass der Redstone-Staub nicht zugestellt wird.

7 Umrahme deinen Schießstand mit Zäunen, um ein vier Blöcke hohes Schussfenster zu erhalten. Platziere oben Banner in Weiß und Rot für den typischen Jahrmarkts-Look und um die Schießscharte schmaler zu machen.

8 Füge vorn am Schießstand eine große Truhe hinzu und fülle sie mit Bögen und Pfeilen, damit die Spieler direkt mit dieser Attraktion loslegen können.

9 Schieß los! Drei Volltreffer füllen die Truhe, worauf ein Signal an den Spender geschickt und das Feuerwerk ausgelöst wird. Wenn du eine größere Herausforderung möchtest, kannst du die Truhe im Vorfeld auch weniger voll machen, sodass mehr Volltreffer nötig sind, um den Himmel zu erleuchten!

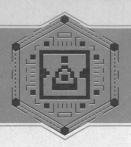
IMPULSGENERATOR

Um Impulse zu erzeugen, brauchst du einen
Generator. Am einfachsten baust du einen,
indem du drei Verstärker, einen Hebel
und Redstone-Staub verwendest.
Wird der Hebel umgelegt, schaltet er die ersten beiden Verstärker an. Der erste (eingestellt auf
zwei Redstone-Ticks) gibt sein
Signal an den Redstone-Staub
weiter, während der zweite den
dritten Verstärker sperrt und
das Signal am Staub aufhält. Legst
du den Hebel erneut um, werden die
ersten beiden Verstärker deaktiviert, was
den dritten Verstärker entsperrt, den Signalfluss erlaubt und die Redstone-Lampe für
kurze Zeit einschaltet.

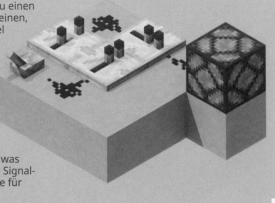

Letzter Verstärker

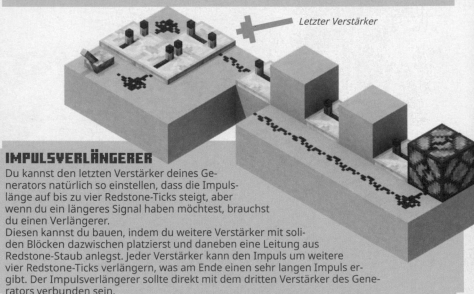

IMPULSVERLÄNGERER

Du kannst den letzten Verstärker deines Generators natürlich so einstellen, dass die Impuls-
länge auf bis zu vier Redstone-Ticks steigt, aber
wenn du ein längeres Signal haben möchtest, brauchst
du einen Verlängerer.
Diesen kannst du bauen, indem du weitere Verstärker mit soliden Blöcken dazwischen platzierst und daneben eine Leitung aus
Redstone-Staub anlegst. Jeder Verstärker kann den Impuls um weitere
vier Redstone-Ticks verlängern, was am Ende einen sehr langen Impuls er-
gibt. Der Impulsverlängerer sollte direkt mit dem dritten Verstärker des Generators verbunden sein.

IMPULSVERMINDERER

Hält ein Impuls zu lange an, kannst du ihn mit einem Verminderer verkürzen. Du beginnst mit einem Generator, den du diesmal an einen Verminderer anschließt, für den du solide Blöcke und einen Kolben benötigst. Erreicht der Impuls den höchsten soliden Block, versorgt er den Verstärker einen Tick lang mit Energie – und auch den Kolben, was den restlichen Impuls daran hindert, weiterzufließen.

Vergiss die Fackel unterhalb dieses Blocks nicht!

IMPULSZÄHLER

Du kannst deinem Impulsgeber auch einen Zähler hinzufügen, damit dieser nur dann ein Signal weitergibt, wenn er eine bestimmte Anzahl von Impulsen erhält.
Dieser Zähler benutzt einen Gegenstand in einem Trichterring, um die Anzahl der erhaltenen Impulse zu zählen. Bei jedem Impuls reagieren die Redstone-Fackeln, was den Gegenstand zum nächsten Trichter befördert. Erreicht er den Auswurfblock, erfolgt ein Ausgabesignal. In unserem Beispiel brauchen wir sechs Impulse.

SCHON GEWUSST?

Minecraft funktioniert nach dem Prinzip von „Ticks", sich wiederholenden Zeitintervallen. Redstone-Ticks bestehen aus zwei Game-Ticks, was 0,1 Sekunden entspricht. Ein Impulsgenerator erzeugt standardmäßig einen Impuls von einem Redstone-Tick Länge, er durchwandert also jeden Block in 0,1 Sekunden. Impulsverlängerer und Impulsverminderer verlängern und verkürzen einen Impuls um mehrere Ticks.

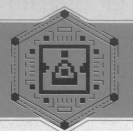

VERSTECKTER TREPPENAUFGANG

SCHWIERIGKEITSGRAD:

⬚ ⬚ ⬚ ⬚ ⬚

🕑 70 Minuten

HAUPTBLÖCKE

VORDERANSICHT

SEITENANSICHT

DRAUFSICHT

Impulsgeber sind ideal, um etwas in Minecraft kurz zu verändern, bevor man wieder zum Ursprungszustand zurückkehrt – beispielsweise einen Treppenaufgang in deiner Basis verstecken, um ein geheimes Stockwerk zu schützen. Folge dieser Anleitung, um eine versteckte Wandtreppe zu bauen.

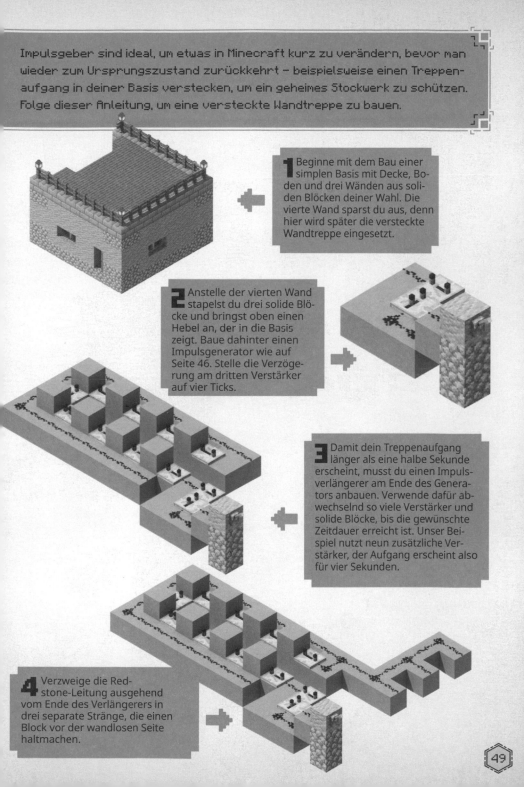

1 Beginne mit dem Bau einer simplen Basis mit Decke, Boden und drei Wänden aus soliden Blöcken deiner Wahl. Die vierte Wand sparst du aus, denn hier wird später die versteckte Wandtreppe eingesetzt.

2 Anstelle der vierten Wand stapelst du drei solide Blöcke und bringst oben einen Hebel an, der in die Basis zeigt. Baue dahinter einen Impulsgenerator wie auf Seite 46. Stelle die Verzögerung am dritten Verstärker auf vier Ticks.

3 Damit dein Treppenaufgang länger als eine halbe Sekunde erscheint, musst du einen Impulsverlängerer am Ende des Generators anbauen. Verwende dafür abwechselnd so viele Verstärker und solide Blöcke, bis die gewünschte Zeitdauer erreicht ist. Unser Beispiel nutzt neun zusätzliche Verstärker, der Aufgang erscheint also für vier Sekunden.

4 Verzweige die Redstone-Leitung ausgehend vom Ende des Verlängerers in drei separate Stränge, die einen Block vor der wandlosen Seite haltmachen.

5 Füge drei Säulen aus soliden Blöcken einen Block weit von der ausstehenden vierten Wand hinzu. Diese müssen in ihren Höhen aufsteigend sein, sodass jede Säule zwei Blöcke höher als die vorherige ist.

UMGEDREHTE ANSICHT

6 Platziere oben auf zwei der Säulen Haftende Kolben, die ins Innere zeigen, und je einen weiteren Haftenden Kolben mit derselben Ausrichtung links vom höchsten Block jeder Säule. Tausche in der höchsten und zweithöchsten Säule Blöcke durch Redstone-Fackeln.

7 Füge an den Kopfenden der Haftenden Kolben Treppen hinzu, sodass sie lotrecht zur Wand verlaufen und einen Aufgang bilden. Wenn die Haftenden Kolben korrekt platziert sind, kannst du den Aufgang bereits hochgehen.

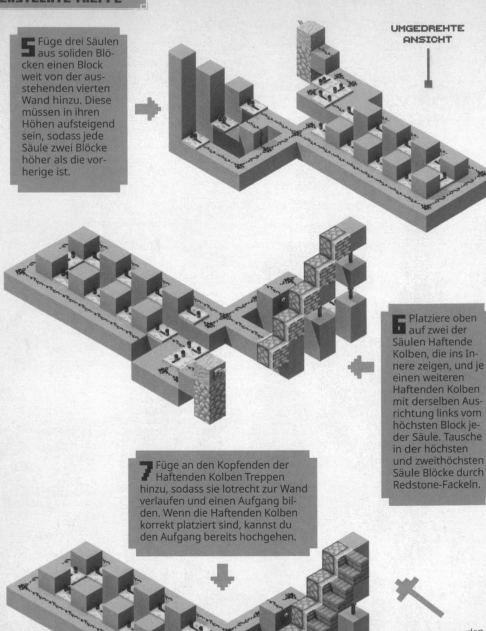

Die Treppen werden in der fertigen Wand zu sehen sein – du kannst also auch Blöcke wählen, die sich optisch besser einfügen und den Aufgang unscheinbarer machen.

8 Kehre zur Säule mit dem Hebel aus Schritt 2 zurück. Sie wird ein Teil der Innenwand deiner Basis, also verwende die gleichen Blöcke, damit es stimmig aussieht. Diese Wand enthält auch die versteckte Treppe.

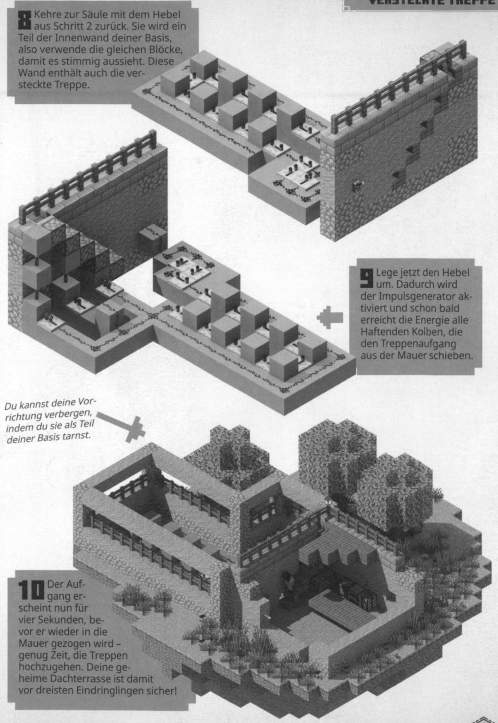

9 Lege jetzt den Hebel um. Dadurch wird der Impulsgenerator aktiviert und schon bald erreicht die Energie alle Haftenden Kolben, die den Treppenaufgang aus der Mauer schieben.

Du kannst deine Vorrichtung verbergen, indem du sie als Teil deiner Basis tarnst.

10 Der Aufgang erscheint nun für vier Sekunden, bevor er wieder in die Mauer gezogen wird – genug Zeit, die Treppen hochzugehen. Deine geheime Dachterrasse ist damit vor dreisten Eindringlingen sicher!

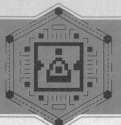

TAKTGEBER

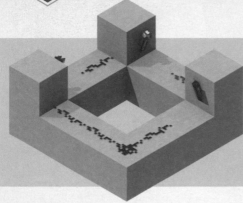

FACKEL-TAKTGEBER

Der einfachste Taktgeber verwendet Redstone-Fackeln an soliden Blöcken, die mit Redstone-Staub verbunden sind. Jede dieser Fackel-Block-Kombinationen ist ein NICHT-Gatter und geht aus, wenn sie ein Signal von hinten erhält. Du benötigst eine ungerade Anzahl an Fackeln in einem Fackel-Taktgeber, sonst ist das Signal dauerhaft.

VERSTÄRKER-TAKTGEBER

Mit Verstärkern kannst du wesentlich schnellere Taktgeber bauen. Zwei Verstärker mit gegensätzlicher Ausrichtung nebeneinander, die vor und hinter sich Redstone-Staub haben, bilden den Kern. Dieser Taktgeber benötigt eine temporäre Energiequelle zur Aktivierung. Platziere eine Redstone-Fackel neben dem Staub und zerstöre sie, um den Taktgeber zu starten. Dabei musst du schnell sein – währt das Signal länger als einen Tick, schaltet es sich nicht zur Schleife.

Anstatt deinen Redstone-Apparat mit einem einzelnen Impuls zu starten, möchtest du manchmal regelmäßig ein Signal erzeugen. Taktgeber sind Redstone-Signale in Schleife, die Redstone-Komponenten wiederholt aktivieren können. Sehen wir uns einige Varianten an.

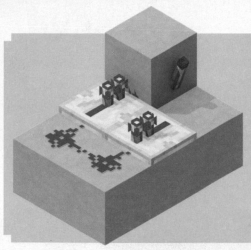

FACKEL-VERSTÄRKER-TAKTGEBER

Kombiniere Fackeln und Verstärker, um die perfekte Mischung aus den zwei bisher genannten Typen zu erhalten. Dank dem Fackel-Umkehrer-NICHT-Gatter können die Verstärker nicht überlastet werden und anstelle der 5-Ticks-Schleife erhältst du eine 3-Ticks-Schleife. Platziere zwei Verstärker mit gegensätzlicher Ausrichtung nebeneinander und setze einen soliden Block mit einer seitlichen Fackel vor den ersten, damit sie den zweiten von hinten versorgt. Füge auf der anderen Seite zwei Häufchen Redstone-Staub hinzu – das war's!

TRICHTER-TAKTGEBER

Den kompaktesten Taktgeber baut man mit Trichtern. Platziere zwei nebeneinander, deren Ausgaberöhren einander zugewandt sind, und wirf einen Gegenstand hinein. Füge einen Vergleicher hinzu, der von einem der Trichter weg zeigt. Es braucht wieder eine vorübergehende Energiequelle zur Aktivierung, also platziere eine Redstone-Fackel neben den anderen Trichter und zerstöre sie. Der Gegenstand wird zwischen den Trichtern hin und her gereicht und der Vergleicher gibt regelmäßig ein Signal aus, wenn er ihn im Trichter dahinter registriert.

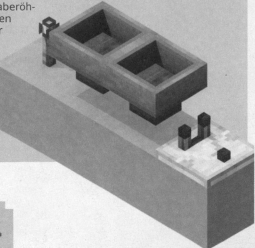

PROFITIPP

Sobald ein Trichter-Taktgeber in Betrieb ist, kannst du neben den anderen Trichter einen zweiten Vergleicher platzieren, um zwei abwechselnde Takte aus einer Quelle zu bekommen.

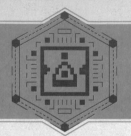

GESCHÜTZ-BATTERIE

HAUPTBLÖCKE

VORDERANSICHT

SEITENANSICHT

DRAUFSICHT

Taktgeber sind ideal, um Redstone-Mechanismen wiederholt zu aktivieren, insbesondere Waffenvorrichtungen. Diese Batterie an Pfeilkanonen erhält regelmäßig Redstone-Signale und feuert bei jedem Signaleingang eine Pfeilsalve ab. Damit hältst du Eindringlinge garantiert auf Abstand.

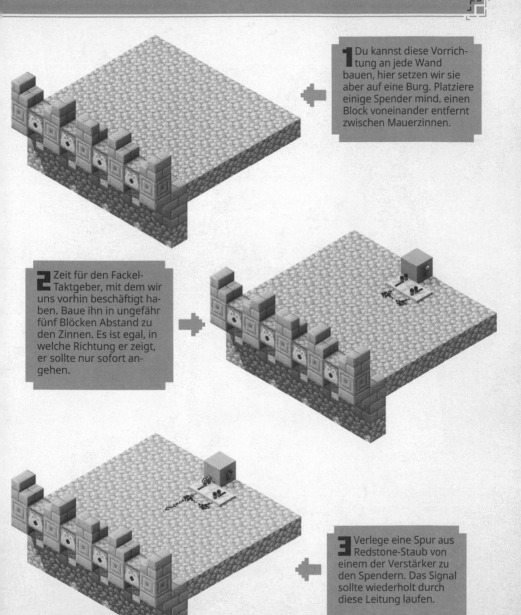

1 Du kannst diese Vorrichtung an jede Wand bauen, hier setzen wir sie aber auf eine Burg. Platziere einige Spender mind. einen Block voneinander entfernt zwischen Mauerzinnen.

2 Zeit für den Fackel-Taktgeber, mit dem wir uns vorhin beschäftigt haben. Baue ihn in ungefähr fünf Blöcken Abstand zu den Zinnen. Es ist egal, in welche Richtung er zeigt, er sollte nur sofort angehen.

3 Verlege eine Spur aus Redstone-Staub von einem der Verstärker zu den Spendern. Das Signal sollte wiederholt durch diese Leitung laufen.

4 Schalte einen Unterbrecher zwischen den Taktgeber und die Spender, sonst gehen dir die Pfeile schneller aus, als dir die Eindringlinge überhaupt gefährlich werden können. Setze ein Fackel-Umkehrer-NICHT-Gatter ans Ende der Redstone-Leitung und platziere einen Hebel darauf.

DRAUFSICHT

5 Streue vor dem Fackel-Umkehrer Redstone-Staub in einer Linie aus und verbinde die Spender damit. Das NICHT-Gatter sollte aktuell das Signal daran hindern, die Spender zu erreichen. Wenn nicht, lege den Hebel um.

6 Befülle die Spender mit Pfeilen. Am besten mit so vielen 64er-Stapeln, wie du kannst, damit du nicht ständig nachfüllen musst.

7 Verdecke den Taktgeber mit soliden Blöcken, um ihn vor Zerstörung zu schützen. Obsidian ist eine gute Wahl, da er sehr hart ist und einen hohen Explosionswiderstand hat. Nur dein NICHT-Gatter sollte nicht verdeckt sein, damit du an den Hebel gelangst.

8 Lege den Hebel des NICHTS-Gatters um, um das Signal durch den Fackel-Umkehrer zu schicken und die Spender auszulösen. Pfeile sollten jetzt gleichzeitig aus allen Spendern fliegen.

9 Der Taktgeber ist permanent aktiv, aber mit dem Hebel kannst du den Spendern immer dann Zugriff auf das Signal ermöglichen, wenn sich Eindringlinge in Reichweite befinden. Möchtest du deine Waffen tarnen, kannst du die Taktgeber auch mit Zauntoren verbinden, um die Spender zu verbergen, wenn sie nicht in Gebrauch sind.

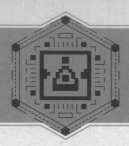

REDSTONE-HACKS

EXAKTE SIGNALSTÄRKE

Manche Apparate benötigen ein Redstone-Signal mit einer bestimmten Distanz. Mit einer Kombination aus einem Haftenden Kolben, einem Vergleicher und einem Verwahrungsblock baust du eine Energiequelle mit einer exakten Signalstärke, indem du den Verwahrungsblock bis zu einem bestimmten Grad füllst. Fahre ihn mithilfe eines Hebels zum Vergleicher hoch, und ein perfektes Signal wird ausgegeben.

Diese Vorrichtung funktioniert in der Bedrock-Edition.

UMLEITUNG

Möchtest du dein Signal daran hindern, gewisse Blöcke auf seinem vertikalen Weg mit Energie zu versorgen, kannst du Gegenstände platzieren, um es umzuleiten. Normalerweise läuft dein Signal am irrelevanten Block vorbei. Befindet sich dieser aber beispielsweise am Ende eines Schaltkreises, kannst du ein Ziel abseits des Blocks platzieren, den du umgehen willst, um das Signal umzuleiten. Das Ziel zieht das Signal an, da er ein Redstone-Block ist, hat aber keine Funktion, wenn er mit Energie versorgt wird.

Diese Vorrichtung funktioniert in der Java-Edition.

Du hast jetzt die grundlegenden Schaltkreise verinnerlicht und bist auf dem besten Weg, mit deiner Ingenieurskunst für Furore zu sorgen. Um dir endgültig deinen Platz in der Redstone-Ruhmeshalle zu sichern, geben wir dir hier noch ein paar Expertentipps mit auf den Weg, bevor wir uns den wirklich krassen Bauanleitungen zuwenden.

KABELLOSE NUTZUNG

Redstone ohne Verkabelung ist selten, aber kein Ding der Unmöglichkeit. Das einfachste Beispiel sind Sculk-Sensoren, die Redstone-Signale ausgeben, wenn sie Schwingungen in der Nähe registrieren. Alternativ kann man auch zwei Tageslichtsensoren platzieren und ihre Signale vergleichen. Es ist möglich, einen Block an einem Kolben zu verwenden, um das Tageslicht abzuschirmen und ein kabelloses Signal weiterzugeben. Allerdings dürfen keine Blöcke im Weg, es muss Tag und auch noch schönes Wetter sein – das funktioniert also nicht immer.

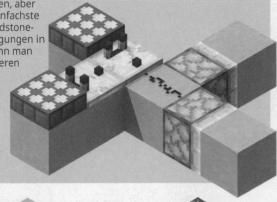

EXPERIMEN-TIEREN

Wir haben bereits viele verschiedene Schaltkreise behandelt, aber du wirst mit ihnen experimentieren müssen, um etwas Nützliches zu erschaffen. Eine offensichtliche Methode, einen Taktgeber zu bauen, ist ein Schienenschaltkreis mit in bestimmten Abständen verlegten Antriebsschienen und einer Detektor-Schiene, die ein Signal ausgibt, wann immer eine Lore darüberfährt.

PROFITIPP

Tausche Energiequellen, manipulierende Blöcke und Ausgabequellen aus, um deine einzigartigen Redstone-Vorrichtungen auszubauen.

REDSTONE-
WORKSHOP

Du hast jetzt eine gute Vorstellung davon, was
mit Redstone alles möglich ist, aber das ist erst
der Anfang. Diese Sektion führt verschiedene
Komponenten, Verhaltensweisen und Schaltkreise
zusammen, um atemberaubende Vorrichtungen
zu schaffen, die dir bei Bergbau und Verteidigung
helfen und deine Schätze sichern.

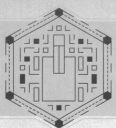

LAVAFALLGRUBE

SCHWIERIGKEITSGRAD:

🕐 60 Minuten

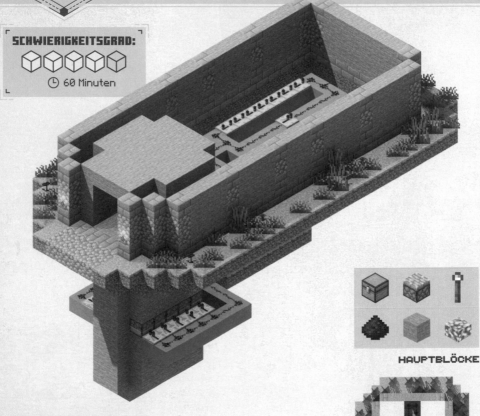

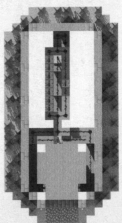

HAUPTBLÖCKE

VORDERANSICHT

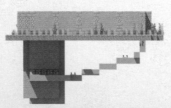

SEITENANSICHT

DRAUFSICHT

Weder die Lava noch der Sturz sind gesundheitsfördernd. Diese zwei-
gleisige Todesfalle nutzt einen Impulsgeber und eine vertikale Schaltung,
um verdutzten Dieben zeitgleich den Boden unter den Füßen wegzuziehen
und sie mit Lava zu übergießen.

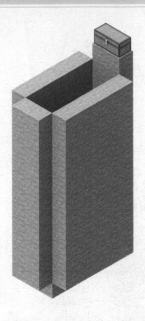

1 Grabe einen mindestens 2 × 5 Blöcke breiten
und 10 Blöcke tiefen Schacht und platziere
oben an der Rückseite eine große Redstone-
Truhe auf soliden Blöcken. Die Wand dieser Kam-
mer wird hinter der Truhe liegen.

2 Bringe zwei Reihen
mit Haftenden Kol-
ben vor der Truhe an,
deren Köpfe einander
zugewandt sind.

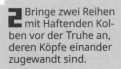

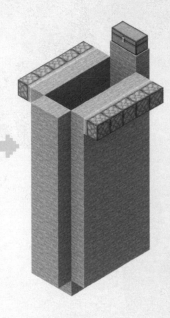

3 Bringe hinter den Kolbenreihen je eine
weitere Reihe aus soliden Blöcken an
(hinten zwei Blöcke länger als die ersten
Reihen) und streue Redstone-Staub darauf.
Setze am Ende der Reihen einen Block
obendrauf, auf derselben Höhe wie das
Truhenpodest.

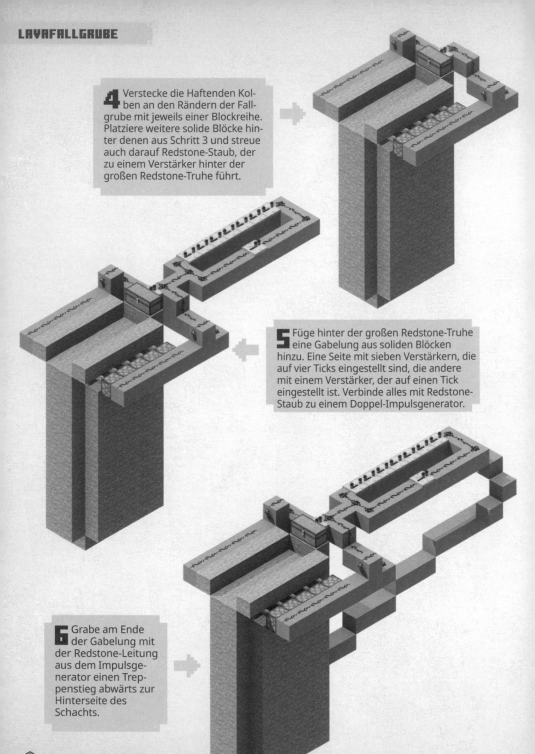

4 Verstecke die Haftenden Kolben an den Rändern der Fallgrube mit jeweils einer Blockreihe. Platziere weitere solide Blöcke hinter denen aus Schritt 3 und streue auch darauf Redstone-Staub, der zu einem Verstärker hinter der großen Redstone-Truhe führt.

5 Füge hinter der großen Redstone-Truhe eine Gabelung aus soliden Blöcken hinzu. Eine Seite mit sieben Verstärkern, die auf vier Ticks eingestellt sind, die andere mit einem Verstärker, der auf einen Tick eingestellt ist. Verbinde alles mit Redstone-Staub zu einem Doppel-Impulsgenerator.

6 Grabe am Ende der Gabelung mit der Redstone-Leitung aus dem Impulsgenerator einen Treppenstieg abwärts zur Hinterseite des Schachts.

7 Sobald du ungefähr auf halber Höhe des Schachts angekommen bist, kannst du seine beiden Seitenwände durchbrechen.

GEDREHTE ANSICHT

8 Setze Spender in die Lücken beider Seitenwände ein. Ihre Ausgabelöcher müssen ins Schachtinnere zeigen.

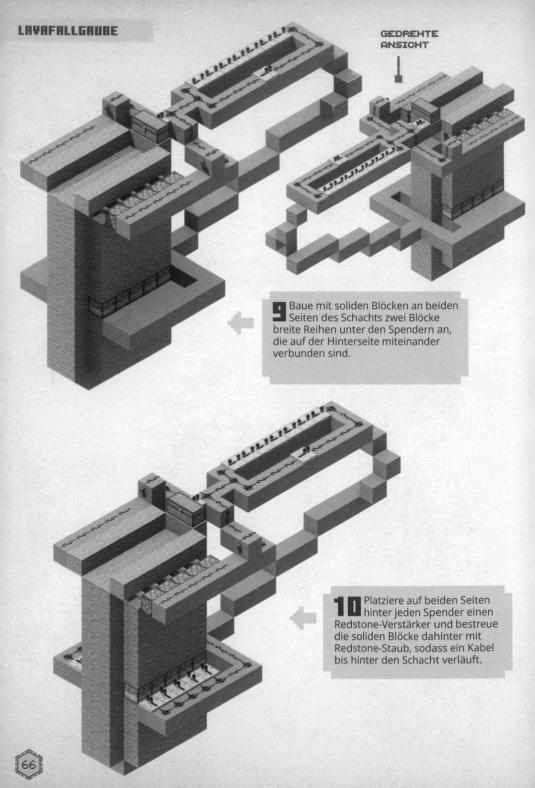

GEDREHTE ANSICHT

9 Baue mit soliden Blöcken an beiden Seiten des Schachts zwei Blöcke breite Reihen unter den Spendern an, die auf der Hinterseite miteinander verbunden sind.

10 Platziere auf beiden Seiten hinter jeden Spender einen Redstone-Verstärker und bestreue die soliden Blöcke dahinter mit Redstone-Staub, sodass ein Kabel bis hinter den Schacht verläuft.

11 Verlege das Redstone-Kabel über den ganzen Treppenaufgang bis nach oben zum Kabel am Ende der Gabelung. Als Nächstes befüllst du deine Spender mit Lavaeimern.

12 Umgib den Fallgrubenraum mit Wänden und einer Decke – von innen dürfen deine Redstone-Mechanismen nicht zu sehen sein!

13 Sollte jetzt jemand die große Redstone-Truhe öffnen, wird ein Prozess in Gang gesetzt, der den Signalfluss an die Kolben stoppt, worauf die Köpfe eingefahren werden und der Spieler den Schacht hinabfällt, der mit Lava vollgepumpt wird. Die Spender nehmen dann die Quellblöcke wieder auf, um dem nächsten Unglückswurm eine Lavadusche bereiten zu können!

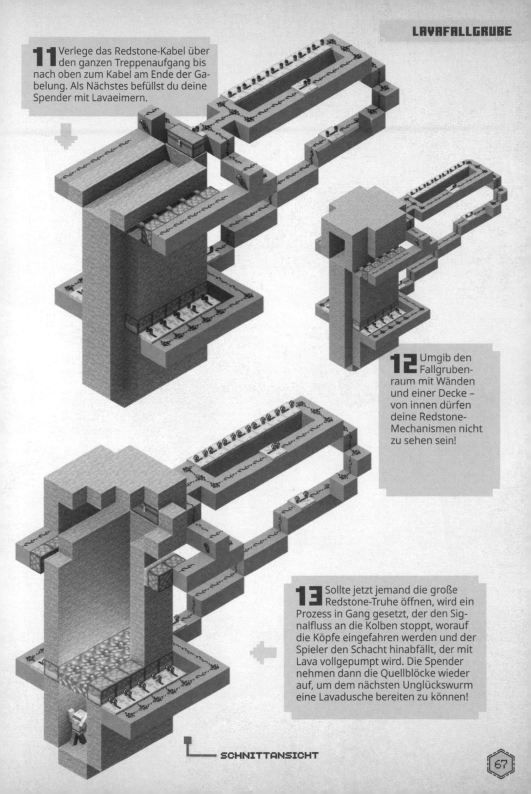

SCHNITTANSICHT

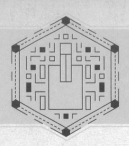

ALTERNATIVE FALLGRUBEN

„ZUFÄLLIGER" ABSTURZ

Stell dir Folgendes vor: Jemand überfällt deine Basis und öffnet die große Redstone-Truhe, doch nichts passiert. Also macht er es sich gemütlich und verwendet deine Basis als Lager und nutzt die Truhe. Eines Tages fällt er plötzlich in die Grube, als er die Truhe zum x-ten Mal öffnet! Installierst du hinter der Truhe einen Impulszähler, bevor das Signal den restlichen Mechanismus erreichen kann, löst die Falle erst beim sechsten Öffnen aus.

Experimentiere mit allen Redstone-Blöcken, die dir in diesem Buch begegnet sind. Wie wird deine Falle funktionieren?

KEIN TRINKWASSER

Lava ist ja schön und gut, aber Wasser kann bei korrektem Einsatz genauso tödlich sein. Anstatt Lava in den Schacht zu kippen, kannst du ihn bis oben hin mit Wasser füllen – wenn jetzt die Blöcke an den Haftenden Kolben den Schacht wieder verschließen, werden Räuber unter Wasser gefangen und ertrinken, anstatt zu verbrennen! Wenn du die Lavaspender nicht deaktivierst, entsteht Obsidian, was es noch schwerer macht, sich aus dem nassen Grab freizuschaufeln!

Jetzt, da du mit deiner Lavafallgrube fertig bist, kannst du dir Gedanken darüber machen, wie du sie noch fieser gestalten kannst. Das Spaßige an Redstone ist, damit herumzuspielen und zu sehen, wie du Komponenten verändern und verbessern kannst. Hier einige Beispiele, wie du die Fallgrube abändern und auf deine Bedürfnisse maßschneidern kannst.

FREIHEITSKAMPF

Wie könnte man Langfingern härter auf die Finger klopfen, als sie kurzerhand in eine Kampfarena zu schmeißen? Diese Falle lässt Spieler in ein seichtes Becken fallen, das sich in einem Raum mit Monsterspawnern befindet! Ab dem Moment ihrer unfreiwilligen Ankunft heißt es kämpfen, um mit heiler Haut zu entkommen!

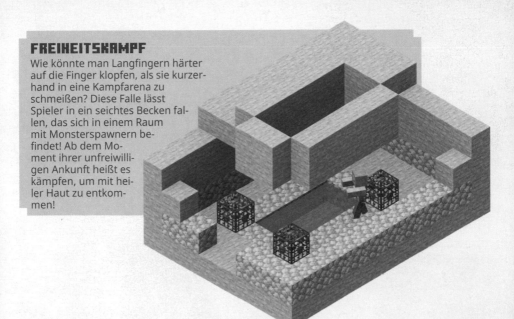

ZEIT ZU SPIELEN

Vielleicht willst du mit den Eindringlingen nur ein bisschen spielen, statt sie gleich skrupellos zu verletzen. Wenn du etwas Zeit übrig hast, kannst du hinter jeden Haftenden Kolben einen Taktgeber bauen, damit sich Teile des Bodens zufällig öffnen. Lehne dich zurück und sieh dem diebischen Pack dabei zu, wie es verzweifelt umherhüpft, um nicht ins Verderben zu stürzen.

Je mehr Zeit du in den Bau deiner Fallen investierst, desto unberechenbarer und schwieriger zu überwinden sind sie!

DAMALS

„Meinen ersten Redstone-Mechanismus, den ich in der Alphaversion 1.1.2_01 gebaut habe, habe ich heute noch. Ich hatte keine Lust mehr, jedes Mal die Tür hinter mir zuzumachen, um mich vor Creepern zu schützen. Also habe ich etwas gebastelt, damit sie automatisch zugeht ... Dieser erste Mechanismus verdeutlicht, wie wenig ich wusste. Warum lag zwischen Druckplatte und Tür Redstone-Staub? Ich dachte, das sei nötig, um die beiden Elemente miteinander zu verbinden, aber ich hatte einfach keine Ahnung."

„Etwas später wagte ich mich an mein erstes richtiges Redstone-Projekt, einen interkontinentalen Bahnhof! Ich hatte keinen Plan von Chunks und wie sie funktionieren, also brauchte ich einige Zwischenstationen, denn je nach Lorenausrichtung mussten die Booster in eine bestimmte Richtung zeigen ... erinnert sich noch jemand an ‚Booster'?"

„Mit Boostern haben wir Loren beschleunigt, da wir damals noch keine Antriebsschienen hatten. Wenn zwei Loren auf zwei Gleisen nebenher fuhren, beschleunigten beide aufgrund eines Kollisionsfehlers im Programm ... Booster waren aber richtungsgebunden, also spielte es eine Rolle, in welche Richtung ich auf den Schienen fuhr! Würde ich das Projekt heute bauen, würde ich dafür einfach ein paar Antriebsschienen nutzen. Wie sich die Dinge verändert haben."

Es ist unglaublich, welche Fortschritte man als Baumeister macht, wenn man in die Welt von Redstone eintaucht. Jigarbov demonstriert in diesem Abschnitt, wie weit man es mit harter Arbeit und Hingabe bringen kann. Sehen wir uns seine ersten und aktuellsten Redstone-Konstruktionen an, die seinen Fortschritt verdeutlichen.

HEUTE

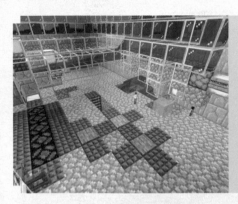

„Später fing ich mit dem Erstellen von Karten an, erlebbare Welten für Spieler zu erschaffen, eine Geschichte zu erzählen, sie auf Abenteuer zu schicken oder mit Minispielen und Geschicklichkeitsaufgaben zu unterhalten. Die meisten Leute verwenden dafür heutzutage Befehlsblöcke, aber Redstone ist immer noch ein Kernbestandteil. Ein paar Freunde und ich haben sogar eine Abenteuerwelt nur aus Redstone im Überlebensmodus. Die Karte mit dem Namen ‚Perhaps, The Last' schickt die Spieler auf ein Abenteuer in ein Ozeanmonument, wo sie Geschicklichkeitsaufgaben meistern müssen."

„In einer simplen Geschicklichkeitsaufgabe unter Zeitdruck befördern die Spieler ein Ei durch eine Röhre auf die andere Seite. Mit versteckten Redstone-Schaltkreisen und Schleimblöcken an den Kolbenköpfen, hüpfen die Eier zum Ende. In der zweiten Hälfte müssen die Spieler das Ei durch eine komplexere Röhrenanordnung manövrieren, indem sie eine Reihe von Kolben manipulieren, um den Wasserfluss zu ändern. Im Finale wartet eine Herausforderung mit Redstone-Verstärker-Sperren, bei der die Lore bis zum Ende der Strecke geschickt wird, wo die Gegenstände in Trichter gefüllt werden und die Aufgabe gemeistert ist."

„Viele der Aufgaben auf der Karte vermitteln fundamentale Redstone-Mechaniken. Redstone ist nicht nur darauf beschränkt, deine Welt im Überlebensmodus besser zu machen oder einen riesigen funktionstüchtigen Roboter zu bauen, man kann damit auch eine Geschichte erzählen und eigene Geschicklichkeitsaufgaben kreieren."

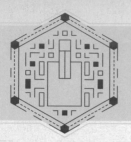

SCHIENENSCHLOSS

HAUPTBLÖCKE

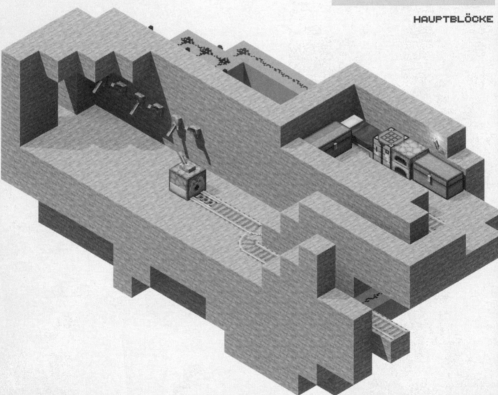

VORDERANSICHT

SEITENANSICHT

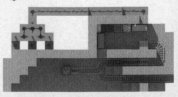

DRAUFSICHT

Auch mit Heimtücke kann man seine Basis sicher machen. Die Schienenstrecke vermittelt den Eindruck, man müsste nur in eine Lore steigen und gelangte so ins Innere, aber das Kombinationsschloss gewährleistet, dass nur Eingeweihte Zutritt haben – alle anderen stürzen in ihr Verderben.

1 Baue außerhalb deiner Basis eine 3 × 6 Blöcke große Wand aus soliden Blöcken und platziere Hebel entlang der mittleren Blockreihe als Grundlage für das Schloss.

◀ **GEDREHTE ANSICHT**

2 Wähle drei Hebel aus, um deinen geheimen Zugangscode zu bestimmen. Platziere dahinter je einen Block mit Redstone-Staub darauf.

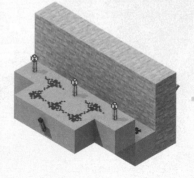

3 Baue dahinter ein UND-Gatter mit drei Eingabequellen (siehe Seite 41). Die Plattform besteht aus soliden Blöcken, auf die du Redstone-Fackeln hinter den Staub aus Schritt 2 setzt – auf die restlichen Blöcke streust du auch Redstone-Staub. Füge noch eine Redstone-Fackel am mittleren Block auf der Rückseite der Plattform hinzu.

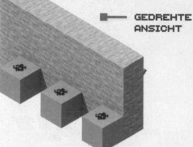

4 Teste, ob dein UND-Gatter korrekt funktioniert und nur eine Fackel hinter der Wand an bleibt, wenn du die drei Hebel umlegst. Setze jetzt den Startpunkt für deine Schienengabelung.

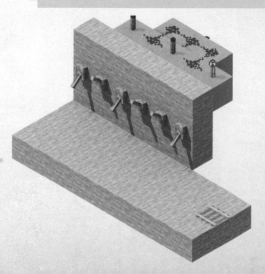

5 Verlege Schienen und baue eine Gabelung. Die zwei Gleise beschreiben am Kreuzungspunkt automatisch Kurven. Du benötigst einen Block Raum zwischen den Gleisen, also lege einen Graben an.

6 Verbinde das UND-Gatter mit der Gabelung. Verlege dazu ein Redstone-Kabel vom Graben zwischen den Gleisen bis zur Fackel hinten am UND-Gatter. Unterwegs musst du noch ein NICHT-Gatter und einen Verstärker hinzufügen, der die Signalstärke erhöht.

Dein Eingang muss nicht zwingend auf einer höheren Ebene liegen – du kannst die Schienenstrecke beliebig abändern und an deine Basis anpassen.

Spielst du die Bedrock-Edition, musst du dieses NICHT-Gatter entfernen.

7 Baue die zwei Gleise weiter aus. Ist keiner der Hebel umgelegt, wird die Gabelung die Loren auf das Gleis zur Falle schicken. Lass es zu einer steilen Klippe oder Lavagrube führen. Das andere Gleis führt zu deiner Basis. Falls es nach oben führen soll, verbaue Detektor-, Aktivierungs- und Antriebsschienen, um die Rampen zu überwinden.

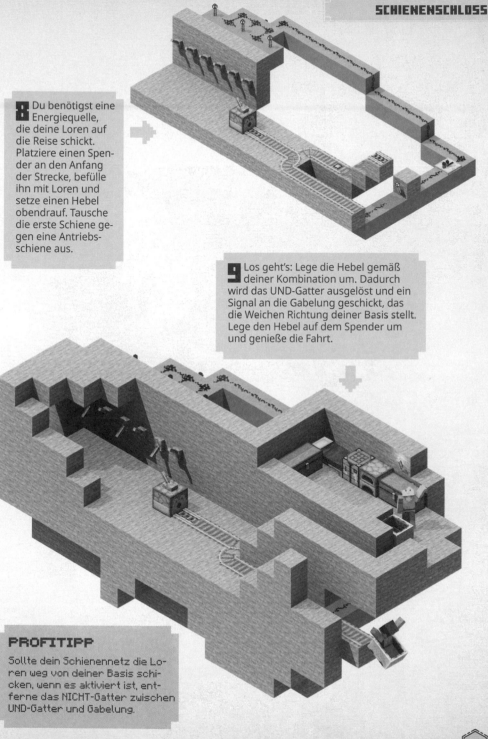

8 Du benötigst eine Energiequelle, die deine Loren auf die Reise schickt. Platziere einen Spender an den Anfang der Strecke, befülle ihn mit Loren und setze einen Hebel obendrauf. Tausche die erste Schiene gegen eine Antriebsschiene aus.

9 Los geht's: Lege die Hebel gemäß deiner Kombination um. Dadurch wird das UND-Gatter ausgelöst und ein Signal an die Gabelung geschickt, das die Weichen Richtung deiner Basis stellt. Lege den Hebel auf dem Spender um und genieße die Fahrt.

PROFITIPP

Sollte dein Schienennetz die Loren weg von deiner Basis schicken, wenn es aktiviert ist, entferne das NICHT-Gatter zwischen UND-Gatter und Gabelung.

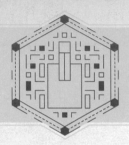

ALTERNATIVE EINGANGSSCHLÖSSER

HOCHSICHERHEITS-SCHLOSS

Bei nur sechs Hebeln ist nicht aus-
zuschließen, dass ein Eindringling
mit etwas Glück die richtige Kombination eingibt. Eliminiere diesen Glücksfaktor und baue
eine größere Wand mit
sehr viel mehr Hebeln. Mit
Redstone-Treppen kannst
du dafür sorgen, dass das Signal von den höheren Ebenen nach
unten reicht. Solange von irgendwo
drei Eingaben erfolgen, wird der Schaltkreis funktionieren.

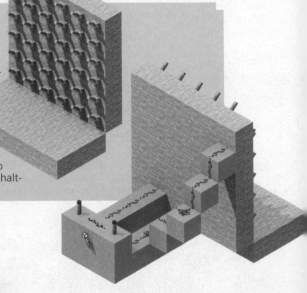

AM ENDE?

Eindringlinge per Lore eine Klippe hinabzu-
befördern ist fies, aber sie durch ein Endpor-
tal zu schicken ist fieser. Das verleiht deiner
Falle wortwörtlich eine ganz andere Dimen-
sion! Und selbst wenn sie es wieder zurück
durchs Portal schaffen, müssen sie immer
noch die Klippe hochklettern.

Neue Falle, neues Unglück für Eindringlinge, die deine mühsam gesammelten Schätze plündern wollen. Doch damit hört der Spaß nicht auf – mit diesen Alternativen werden deine verschlossenen Eingänge noch sicherer, aufregender und gemeiner!

ACHTERBAHN

Deine Strafe kann natürlich auch milder ausfallen. Baue mit Detektor- und Antriebsschienen eine rasante Strecke, die Diebe weit von deiner Basis wegbefördert, ohne sie gleich per freiem Fall zu entsorgen. Das Ende der Achterbahnfahrt sollte aber weit genug weg sein, damit die Halunken nicht gleich wieder zurück zu deiner Basis marschieren ...

Je mehr Kurven und Rampen du verbaust, desto verwirrter sind die Räuber nach der irren Fahrt.

ANDERE SCHIENE

Der eine oder andere Spielverderber wird auch schlau genug sein, deine Schienenstrecke einfach entlangzulaufen, anstatt sich in eine Lore zu setzen. Wenn du deine Basis absolut sicher verschließen willst, kannst du das Kombinationsschloss auch einfach an eine Eisentür oder einen Kolben-Türmechanismus koppeln. Das ist fast schon etwas langweilig, lässt den Dieben aber keine Hintertür offen.

PROFITIPP

Sorge dafür, dass lange Strecken ausreichend steile Gefälle oder Antriebsschienen haben, damit deine Loren ihr Ziel auch erreichen.

LESEPULT-SORTIERER

SCHWIERIGKEITSGRAD:

⬡ ⬡ ⬡ ⬡ ⬡

🕐 90 Minuten

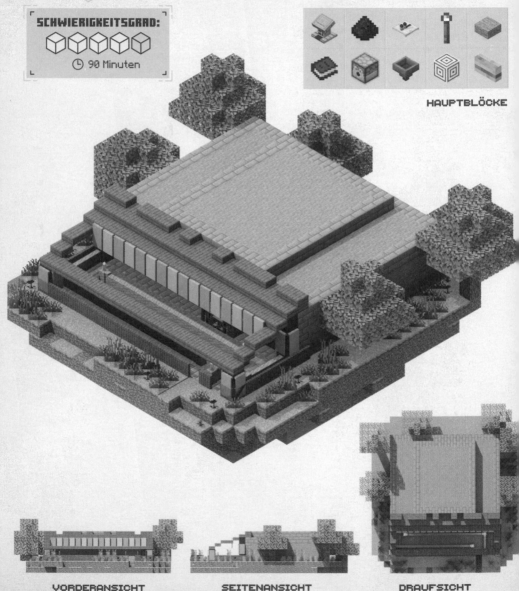

HAUPTBLÖCKE

VORDERANSICHT

SEITENANSICHT

DRAUFSICHT

Alle Verwahrungsblöcke durchzugehen, nur um einen bestimmten Gegenstand zu finden, kann schnell mühselig werden. Der Lesepult-Sortierer lässt dich einen bestimmten Gegenstand aus einem Buch wählen, der auch noch auf Knopfdruck zu deinen Füßen erscheint. Sehen wir uns an, wie sich dieses Wunder vollbringen lässt.

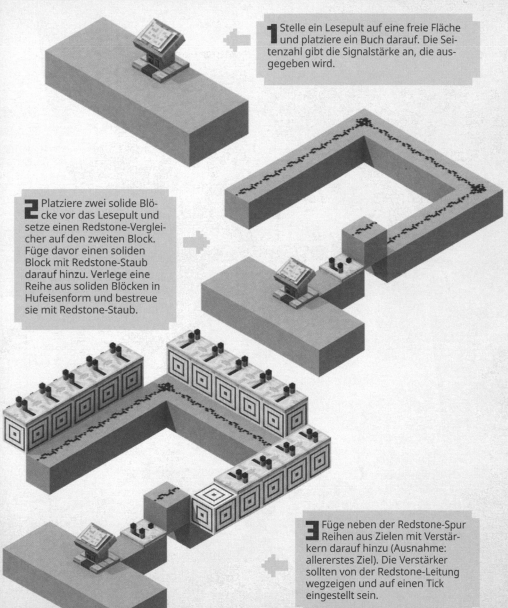

1 Stelle ein Lesepult auf eine freie Fläche und platziere ein Buch darauf. Die Seitenzahl gibt die Signalstärke an, die ausgegeben wird.

2 Platziere zwei solide Blöcke vor das Lesepult und setze einen Redstone-Vergleicher auf den zweiten Block. Füge davor einen soliden Block mit Redstone-Staub darauf hinzu. Verlege eine Reihe aus soliden Blöcken in Hufeisenform und bestreue sie mit Redstone-Staub.

3 Füge neben der Redstone-Spur Reihen aus Zielen mit Verstärkern darauf hinzu (Ausnahme: allererstes Ziel). Die Verstärker sollten von der Redstone-Leitung wegzeigen und auf einen Tick eingestellt sein.

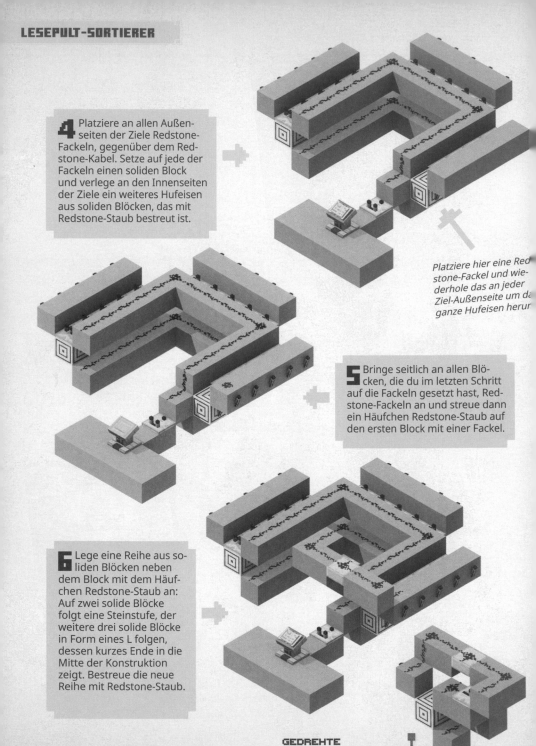

4 Platziere an allen Außenseiten der Ziele Redstone-Fackeln, gegenüber dem Redstone-Kabel. Setze auf jede der Fackeln einen soliden Block und verlege an den Innenseiten der Ziele ein weiteres Hufeisen aus soliden Blöcken, das mit Redstone-Staub bestreut ist.

Platziere hier eine Redstone-Fackel und wiederhole das an jeder Ziel-Außenseite um das ganze Hufeisen herum

5 Bringe seitlich an allen Blöcken, die du im letzten Schritt auf die Fackeln gesetzt hast, Redstone-Fackeln an und streue dann ein Häufchen Redstone-Staub auf den ersten Block mit einer Fackel.

6 Lege eine Reihe aus soliden Blöcken neben dem Block mit dem Häufchen Redstone-Staub an: Auf zwei solide Blöcke folgt eine Steinstufe, der weitere drei solide Blöcke in Form eines L folgen, dessen kurzes Ende in die Mitte der Konstruktion zeigt. Bestreue die neue Reihe mit Redstone-Staub.

GEDREHTE DETAILANSICHT

7 Kehre zum Buch zurück und trage auf 15 Seiten Gegenstandsnamen ein – du kannst sie später jederzeit ändern. Blättere die Seiten langsam durch und du siehst, wie die Fackeln an den Seiten deiner Konstruktion abwechselnd angehen. Füge reihenweise Auswurfblöcke vor den Fackeln hinzu, die nach außen zeigen.

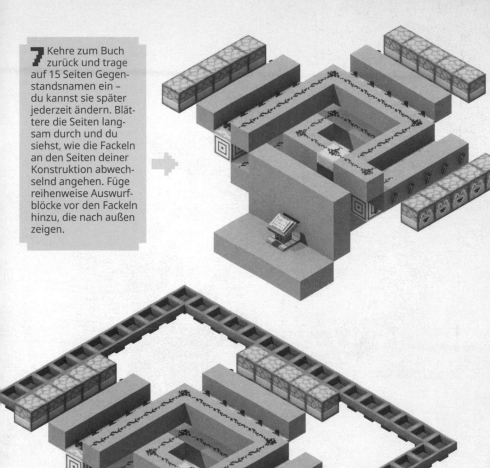

8 Platziere vor dem Auswurfblock links unten einen Trichter, dessen Ausgaberöhre im Uhrzeigersinn gedreht ist, und führe das Prozedere mit weiteren Trichtern rund um alle drei Auswurfblockreihen wie im Bild gezeigt fort. Diese U-förmige Trichteranordnung findet einen Block vor dem Lesepult ihr Ende.

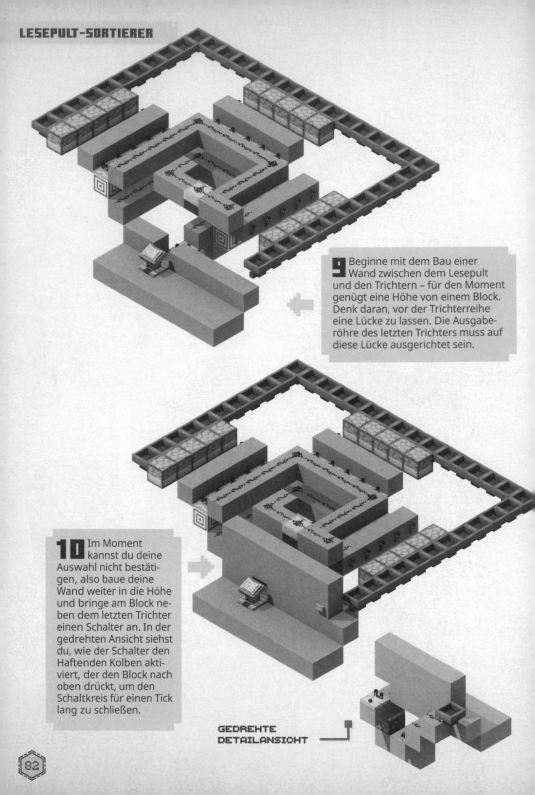

9 Beginne mit dem Bau einer Wand zwischen dem Lesepult und den Trichtern – für den Moment genügt eine Höhe von einem Block. Denk daran, vor der Trichterreihe eine Lücke zu lassen. Die Ausgaberöhre des letzten Trichters muss auf diese Lücke ausgerichtet sein.

10 Im Moment kannst du deine Auswahl nicht bestätigen, also baue deine Wand weiter in die Höhe und bringe am Block neben dem letzten Trichter einen Schalter an. In der gedrehten Ansicht siehst du, wie der Schalter den Haftenden Kolben aktiviert, der den Block nach oben drückt, um den Schaltkreis für einen Tick lang zu schließen.

GEDREHTE DETAILANSICHT

11 Verschleiere die Lücke, indem du eine ansprechende Mauer darum herum baust. Somit ist nur noch ein einfaches Loch in der Wand zu sehen.

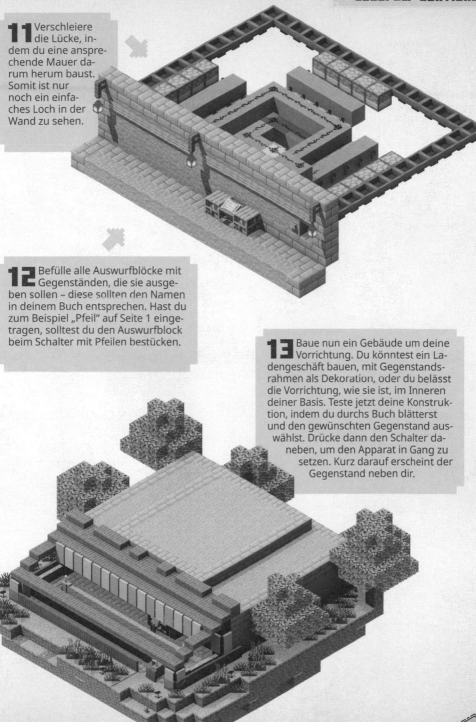

12 Befülle alle Auswurfblöcke mit Gegenständen, die sie ausgeben sollen – diese sollten den Namen in deinem Buch entsprechen. Hast du zum Beispiel „Pfeil" auf Seite 1 eingetragen, solltest du den Auswurfblock beim Schalter mit Pfeilen bestücken.

13 Baue nun ein Gebäude um deine Vorrichtung. Du könntest ein Ladengeschäft bauen, mit Gegenstandsrahmen als Dekoration, oder du belässt die Vorrichtung, wie sie ist, im Inneren deiner Basis. Teste jetzt deine Konstruktion, indem du durchs Buch blätterst und den gewünschten Gegenstand auswählst. Drücke dann den Schalter daneben, um den Apparat in Gang zu setzen. Kurz darauf erscheint der Gegenstand neben dir.

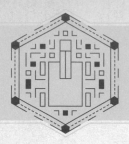

ALTERNATIVE SORTIERER

KLEINER SORTIERER

Wenn dir die Zeit oder der Platz für die große Ausgabe fehlt, du aber auf einen Sortierer nicht verzichten möchtest, ist diese kleinere Variante perfekt für dich. Sie verwendet die gleiche Mechanik und funktioniert ähnlich – folge einfach unserer Anleitung für den Lesepult-Sortierer, aber verwende nur eine gerade Reihe an Auswurf- blöcken und Trichtern.

GEDREHTE
ANSICHT

RAHMENSORTIERER

Du kannst das Lesepult auch gegen einen Gegenstandsrahmen mit einem Pfeil darin austauschen. Eingerahmte Gegenstände können in acht Richtungen gedreht werden, was dir die Wahl zwischen acht statt 15 Gegenständen lässt. Die „grafi- schere" Benutzeroberfläche liegt dir vielleicht mehr als das Blättern in einem Buch, und die Konstruktion benötigt nur halb so viel Platz!

Die Sortierer-Mechanik bietet so viele tolle Möglichkeiten: Du kannst damit allerlei Gegenstände erfassen, ein ganzes Inventar einlagern oder jeden einzelnen Gegenstand in Minecraft katalogisieren. Hier sind ein paar alternative Denkanstöße!

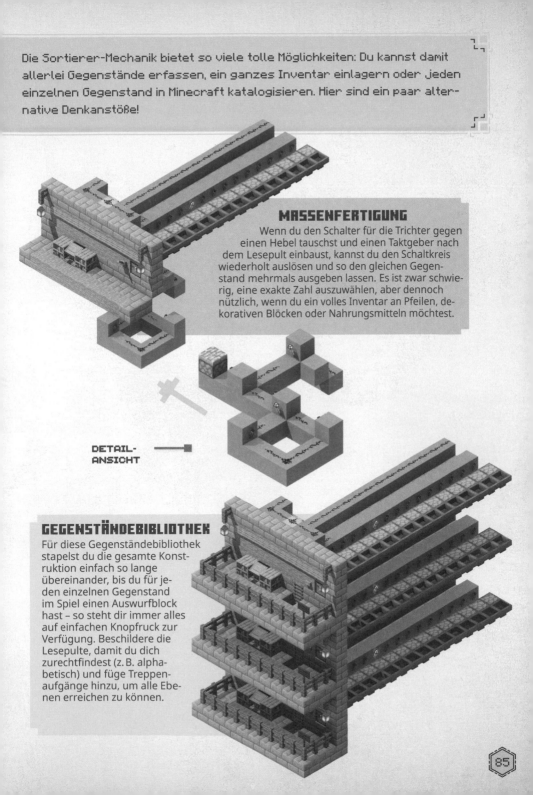

MASSENFERTIGUNG

Wenn du den Schalter für die Trichter gegen einen Hebel tauschst und einen Taktgeber nach dem Lesepult einbaust, kannst du den Schaltkreis wiederholt auslösen und so den gleichen Gegenstand mehrmals ausgeben lassen. Es ist zwar schwierig, eine exakte Zahl auszuwählen, aber dennoch nützlich, wenn du ein volles Inventar an Pfeilen, dekorativen Blöcken oder Nahrungsmitteln möchtest.

DETAIL-ANSICHT

GEGENSTÄNDEBIBLIOTHEK

Für diese Gegenständebibliothek stapelst du die gesamte Konstruktion einfach so lange übereinander, bis du für jeden einzelnen Gegenstand im Spiel einen Auswurfblock hast – so steht dir immer alles auf einfachen Knopfruck zur Verfügung. Beschildere die Lesepulte, damit du dich zurechtfindest (z. B. alphabetisch) und füge Treppenaufgänge hinzu, um alle Ebenen erreichen zu können.

REDSTONE-GUIDE MIT
JIGARBOV

WARUM EIN REDSTONE-GUIDE?

„Ich habe ‚Jig's Guide: Redstone Basics' gemacht, weil ich Redstone einfach liebe. Es bereichert die Interaktionsmöglichkeiten mit der Welt und fügt dem Bergbau, Überleben und Bauen noch so faszinierende Facetten wie Rätsel lösen, automatisierte Prozesse und die Konstruktion mechanischer Apparate hinzu, die die Welt um dich herum beeinflussen, wie es eine bloße Spitzhacke nie könnte."

HAST DU BEDARF FÜR EINEN REDSTONE-GUIDE GESEHEN?

„Ich denke nicht, dass Spieler zwangsweise Probleme damit haben, aber ich empfinde Redstone am Anfang als herausfordernd. Es gibt so viele Komponenten und man weiß nicht recht, wo man anfangen soll. Spielern fällt es leicht, die Welt zu erkunden und herauszufinden, wie man verschiedene Hürden in Minecraft überwindet. Aber bei Redstone liegen die Lösungen selten auf der Hand, da es kaum Anleitung im Spiel gibt, wie man es einsetzen soll."

WIE UNTERSCHEIDET SICH DAS DAVON, WIE DU REDSTONE GELERNT HAST?

„Als ich angefangen habe, gab es außer einiger YouTube-Videos kaum Informationsquellen. Ich wünschte, es hätte zu meiner Zeit so einen Guide gegeben, und hoffe, dass Spieler ihn nutzen, um Erfahrungen zu sammeln, und verstehen, dass Redstone nicht so abschreckend ist, wie man meinen könnte – aber das muss ich den Lesern dieses Buchs nicht extra sagen!"

Unser Redstone-Experte Jigarbov ruht sich nicht auf seinem Diplom in Redstone-Ingenieurswissenschaften aus, nein, er will sein Wissen an die Community weitergeben. Das tut er mit seinem „Jig's Guide: Redstone Basics", den es kostenlos auf dem Minecraft-Marktplatz gibt – so tauchen immer mehr Spieler in die spannende Welt von Redstone ein!

WAS KANN MAN NICHT IM SPIEL DIREKT LERNEN?

„Viele Spieler nutzen externe Quellen, um sich diverse Redstone-Mechaniken beizubringen – das gilt auch für dieses Buch. Sie alle verschaffen einen wunderbaren Überblick über die verschiedenen Möglichkeiten, aber man lernt die Dinge nicht direkt im Spiel, was dem Medium geschuldet ist. Und Redstone ist schwer zu erlernen, wenn man nicht unmittelbar Hand anlegt. Ich hoffe aber, dass mein Guide und seine einführenden Lektionen Spielern den praktischen Einstieg erleichtern, da sie nicht erst groß überlegen müssen, womit sie am besten anfangen sollen."

WAS IST DAS ENDZIEL?

„Ich hoffe, dass die Spieler nach den ersten Lektionen im ‚Jig's Guide' ein solides Grundwissen der Materie haben. Fragen wie Reichweite von Redstone-Signalen, womit man Energie erzeugt und was man damit auslösen kann, sollten auf jeden Fall beantwortet sein. Jede Komponente hat ihren eigenen Raum und wird aktualisiert, wenn neue Redstone-Gegenstände hinzugefügt werden, damit die Spieler die Zusammenhänge und Interaktionen verstehen und sich ermutigt fühlen, damit herumzuexperimentieren."

WIRD MAN DAMIT ZUM REDSTONE-MEISTER?

„Ich weiß nicht, ob überhaupt jemand zum definitiven Redstone-‚Meister' werden kann! Selbst ich lerne jeden Tag dazu. Auf der Karte gibt es auch ein paar kompliziertere Maschinen, deren Funktionsweisen ich auf Schildern erkläre. Meine Hoffnung ist, dass Spieler sehen, was alles möglich ist, und genug lernen, um ihre eigene Reise anzutreten, und das volle Potenzial von Redstone erkennen, anstatt einfach nur eine Tür aufzustoßen."

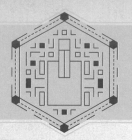

TUNNELBOHRER

HAUPTBLÖCKE

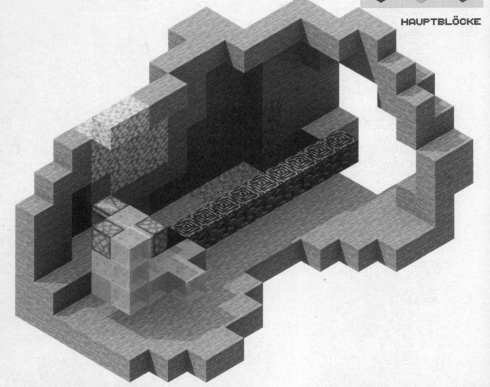

VORDERANSICHT

SEITENANSICHT

DRAUFSICHT

Du wolltest dir schon immer den Bergbau erleichtern? Dann haben wir die perfekte Konstruktion für dich. Mittels eines Spenders wird TNT scharf gemacht und weggeschleudert – mit jeder Explosion arbeitet sich der Bohrer ein Stück nach vorn. Folge dieser Anleitung für explosiven Bergbau!

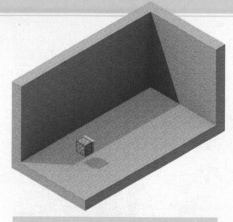

1 Grabe in die Tiefe und höhle einen 7 Blöcke breiten, 7 Blöcke hohen und 15 Blöcke langen Raum aus. Platziere einen Kolben 3 Blöcke von den Wänden entfernt und einen Block über dem Boden. Richte ihn dorthin aus, wo die Bohrung stattfinden soll.

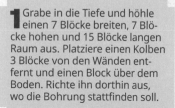

2 Platziere hinter dem Kolben einen Beobachter, dessen Gesicht vom Kolben weg zeigt, sodass seine Ausgabeseite in den Kolben führt. Setze einen zweiten Beobachter darauf, diesmal aber andersherum.

3 Setze einen Spender auf den Kolben, dessen Loch nach oben zeigt. Dort kommt das TNT hinein. Der Spender wirft dann das scharf gemachte TNT aus – warte damit aber noch, sonst sprengst du noch deine Konstruktion während des Baus in die Luft!

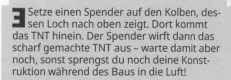

4 Platziere auf den zweiten Beobachter einen Schleimblock und füge einen Beobachter an dessen Seite hinzu, der vom Schleimblock weg schaut. Eventuell musst du temporäre Hilfsblöcke anbauen, damit er in die richtige Richtung blickt.

5 Platziere einen soliden Block hinter den unteren Beobachter aus Schritt 3. Darauf kommt ein weiterer Schleimblock und noch ein Kolben, dessen Kopf zum ersten Schleimblock zeigt. Dieser Kolben schiebt später das TNT an, um es vom Apparat wegzuschleudern.

6 Platziere einen Haftenden Kolben rechts vom oberen Schleimblock, der zum hinteren Ende der Vorrichtung zeigt. Bringe an seinem Kopf einen weiteren Schleimblock an und baue von dort Schleimblöcke in einer L-Form an – das L endet unterhalb des Haftenden Kolbens.

7 Füge einen soliden Block vor dem letzten Schleimblock und noch einen Schleimblock rechts davon hinzu.

Wenn du die Reihe mit Antikem Schutt kürzer machst, dürfte das dein Mechanismus nicht überleben.

8 Baue eine Reihe von 9 Blöcken Antiker Schutt einen Block entfernt vor dem Kolben unter dem Spender an. Antiker Schutt hat den gleichen Explosionswiderstand wie Obsidian, kann aber von Schleimblöcken und Kolben geschoben und gezogen werden.

9 Vergewissere dich, dass unter dem und um den Tunnelbohrer herum keine Blöcke beim Aushöhlen übrig geblieben sind, die sich an die Schleimblöcke haften könnten. Das würde die maximale Anzahl an Blöcken, die ein Kolben schieben kann, übersteigen.

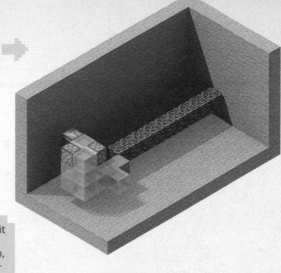

10 Befülle den Spender jetzt mit TNT und platziere daneben einen Schalter. Betätigst du diesen, wird TNT ausgegeben – das registrieren die Beobachter und lösen die Kolben um sie herum aus. Das schleudert das TNT den Antiken Schutt entlang und drückt die Schleimblöcke nach vorn, die die gesamte Vorrichtung mit sich ziehen.

PROFITIPP

Der Schalter wird durch die Vorwärtsbewegung zerstört, wenn du ihn betätigt hast, da er an keinem Schleimblock oder Haftenden Kolben klebt. Aber du kannst ihn aufheben und neu platzieren.

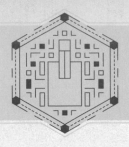
STATISCHER BOHRER

Die Kombination aus Schleimblöcken, Kolben und Beobachtern kann reduziert werden, sodass die Vorrichtung nur das TNT verschießt, ohne sich fortzubewegen. So entstehen keine horizontalen Tunnel, sondern riesige Krater, die bis runter zum Grundgestein reichen. Ohne das Element der Vorwärtsbewegung bleibt auch der Schalter intakt und dort, wo er ist.

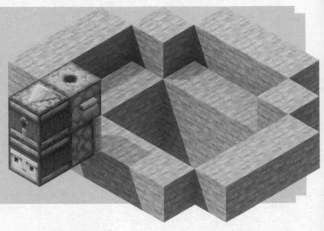

Du brauchst einen längeren Taktgeber, um dem TNT Zeit zum Explodieren zu geben, bevor du eine weitere Ladung abfeuerst.

VERSTÄRKERKRAFT

Wenn der Schalter bestehen bleibt, kannst du das System auch weiter automatisieren. Tausche den Schalter am statischen Bohrer gegen einen Taktgeber mit langer Verzögerung aus, um alle paar Sekunden einen Block TNT wegzuschleudern – Zeit genug zu landen und zu explodieren, bevor die nächste Ladung angeflogen kommt. Du wirst allerdings umbauen müssen, sobald der Krater tiefer als circa 80 Blöcke ist, da das TNT dann nicht mehr unten aufkommt!

Der Tunnelbohrer hat uns gezeigt, wie man den Bergbau automatisieren kann, aber das ist nicht das Ende der Fahnenstange. Unter Verwendung ähnlicher Mechaniken kannst du statische Bergbaumaschinen wie zum Beispiel eine TNT-Schleuder bauen, ganz zu schweigen von anderen beweglichen Apparaten – sogar Raketen sind möglich!

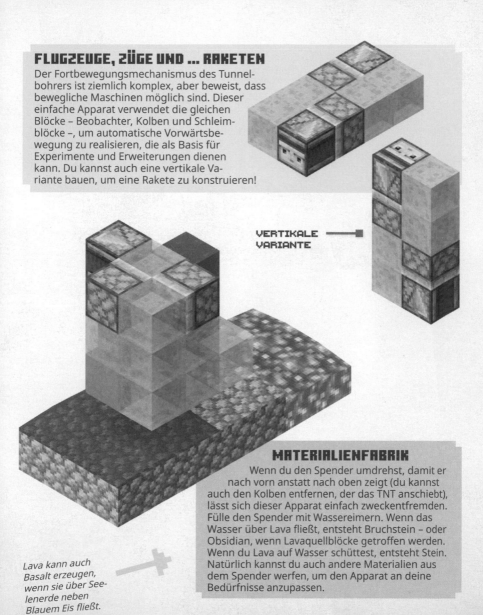

FLUGZEUGE, ZÜGE UND ... RAKETEN

Der Fortbewegungsmechanismus des Tunnelbohrers ist ziemlich komplex, aber beweist, dass bewegliche Maschinen möglich sind. Dieser einfache Apparat verwendet die gleichen Blöcke – Beobachter, Kolben und Schleimblöcke –, um automatische Vorwärtsbewegung zu realisieren, die als Basis für Experimente und Erweiterungen dienen kann. Du kannst auch eine vertikale Variante bauen, um eine Rakete zu konstruieren!

VERTIKALE ◀━━■
VARIANTE

MATERIALIENFABRIK

Wenn du den Spender umdrehst, damit er nach vorn anstatt nach oben zeigt (du kannst auch den Kolben entfernen, der das TNT anschiebt), lässt sich dieser Apparat einfach zweckentfremden. Fülle den Spender mit Wassereimern. Wenn das Wasser über Lava fließt, entsteht Bruchstein – oder Obsidian, wenn Lavaquellblöcke getroffen werden. Wenn du Lava auf Wasser schüttest, entsteht Stein. Natürlich kannst du auch andere Materialien aus dem Spender werfen, um den Apparat an deine Bedürfnisse anzupassen.

Lava kann auch Basalt erzeugen, wenn sie über Seelenerde neben Blauem Eis fließt.

AUF WIEDERSEHEN

Wusstest du, dass Redstone der Name der Raketen war, die die ersten amerikanischen Astronauten ins Weltall geschickt haben? Diese Wunder der Ingenieurskunst waren das Produkt ähnlicher Gedankengänge, wie du sie beim Lesen dieses Buches und dem Nachbauen der Anleitungen vollzogen hast.

Du hast gelernt, wie einfache Komponenten zusammen komplexe Resultate hervorbringen können, und du hast wahrscheinlich auch gelernt, wie man Probleme löst, wenn etwas mal nicht wie erwartet funktioniert!

Wie geht es jetzt weiter? Du kannst dich fortbilden und Videos anderer Redstone-Ingenieure ansehen. Vergiss nie, dass selbst Entwickler von Minecraft-Abenteuerwelten und -Minispielen mal genauso angefangen haben wie du!

Und unterschätze niemals, wie viel du lernen kannst, indem du einfach ein wenig herumprobierst. Tüftle, experimentiere, zerstöre, repariere – mit jedem Projekt wirst du mehr und mehr zum Redstone-Experten.

DANKE FÜRS SPIELEN!

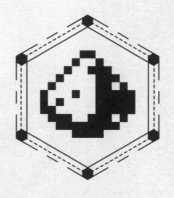